Toda casa precisa de varanda

Rina Frank

Toda casa precisa de varanda

Tradução de
TOVA SENDER

EDITORA RECORD
RIO DE JANEIRO • SÃO PAULO
2008

CIP-Brasil. Catalogação-na-fonte
Sindicato Nacional dos Editores de Livros, RJ.

F911t Frank-Mitrani, Rina, 1951-
Toda casa precisa de varanda / Rina Frank; [tradução Tova Sender]. – Rio de Janeiro: Record, 2008.

Tradução de: Kol bayit tsarikh mirpeset
ISBN 978-85-01-08104-9

1. Frank-Mitrani, Rina, 1951- . 2. Mulheres – Israel – Biografia. I. Título.

08-4345 CDD – 920.72
CDU – 929-055.2

Título original em hebraico:
KOL BAYIT TSARIKH MIRPESET
(Every house needs a balcony)

Direitos exclusivos de publicação em língua portuguesa para o Brasil adquiridos pela
EDITORA RECORD LTDA.
Rua Argentina 171 – Rio de Janeiro, RJ – 20921-380 – Tel.: 2585-2000
que se reserva a propriedade literária desta tradução

Impresso no Brasil

ISBN 978-85-01-08104-9

PEDIDOS PELO REEMBOLSO POSTAL
Caixa Postal 23.052
Rio de Janeiro, RJ – 20922-970

A Sefi,
posso te ver
chorando ou rindo
na leitura do livro
se estivesses viva.

Para Michael e Noa,
obrigada por terem aceitado ser meus filhos
e exatamente como os desejei.

Quando minha irmã viu Deus

Nasci no segundo dia de *Rosh Hashana* e quando descobri que também Rochama, a terceira filha dos nossos vizinhos sírios, havia nascido em *Tu Bishvat*, cheguei à conclusão de que crianças nascem nas datas religiosas. Ao que tudo indica, como um presente de Deus pela data. Quando entendi que minha irmã, um ano e oito meses mais velha que eu, nasceu em janeiro e não encontrei nenhuma data religiosa por perto, fiquei muito preocupada, achando que alguma coisa estava errada com ela, e que ela havia nascido defeituosa. Dividi com minha irmã a minha profunda preocupação. Ela riu e, com a sabedoria de uma menina de sete anos e meio, me explicou que de fato crianças nascem só nas datas religiosas, mas ela, quando ainda era um bebezinho na barriga da nossa mãe, decidiu que queria ser especial e diferente de todos e, por isso, convenceu Deus a deixá-la nascer num dia profano qualquer. E Deus concordou.

Porque Iosefa, minha irmã, conhecia Deus.

Num apartamento de três quartos e uma pequena cozinha, morávamos duas famílias e *tanti* Mari. O apartamento pertencia a tia Lutchi, a irmã mais velha de papai.

Eles tiveram sorte, porque haviam chegado da Romênia no ano de quarenta e oito, logo depois da guerra de Independência, e eram considerados "veteranos", pois conseguiram invadir os apartamentos abandonados dos árabes na rua Stanton e se tornaram, de uma hora para outra, proprietários de bens. Seu filho policial, Poio, que imigrara a Israel aos quatorze anos, havia reservado um apartamento para os pais no número quarenta da rua Stanton. Quando entregaram aos policiais a fiscalização do prédio mais suntuoso da rua Stanton, Poio pegou logo o primeiro andar e outros três policiais pegaram os demais andares, enquanto montavam guarda junto aos apartamentos vazios durante longos meses, para que não fossem ocupados por invasores judeus indesejáveis, até que seus pais e todos os seus parentes imigrassem ao país.

Também Vida, a segunda irmã de papai, e seu marido Chari vieram às pressas a Wadi Salib para procurar um apartamento para morar. Em Stanton, quarenta e sete, acharam um prédio de dois andares abandonado por seus proprietários árabes. A mobília do primeiro andar não lhes agradou; em contrapartida, no segundo andar, além de ter uma mobília relativamente nova, também havia banheiro dentro do apartamento, e não no pátio, como era costume nas casas dos árabes. Pela maioria dos votos, foi escolhido o apartamento do segundo andar. Chari, que tinha mãos de ouro e inventava patentes, colocou no telhado uma caixa d'água de lata que absorvia o calor do sol, e assim tinham água quente de graça durante quase o ano inteiro.

Meus pais, que permaneceram por mais dois anos na Romênia para fazer aquilo pela primeira vez na vida e dar à luz Iosefa, minha única irmã, não tiveram a mesma sorte. E foi assim que, quando a família Frank chegou ao país, papai Mosco, mamãe Bianca e minha irmã, um bebezinho de oito meses, ganharam a pequena cozinha de tia Lutchi. Era um aposento interno sem janelas e sem nenhum acesso à respeitável varanda da rua Stanton.

Mosco e Bianca fizeram aquilo pela segunda vez na vida na pequena cozinha de *tanti* Lutchi, por causa da depressão do aposento sem janelas e porque papai desejava muito um filho homem. Quando eu nasci, um ano depois que imigraram da Romênia a Israel, meu pai ficou tão decepcionado com "essa que não sabe fazer meninos", que sua irmã Lutchi, que amava o irmão mais jovem com todo o coração, deu-nos o terceiro quarto que ficava de frente para a magnífica varanda e que ligava todos os quartos. O quarto era destinado a Poio, o policial, pois havia sido graças a ele que ganharam a casa. Mas Poio se casou com a francesa Dora, que não quis de jeito nenhum morar com a sogra Lutchi, e assim o nosso quarto com a magnífica varanda se tornou um fato consumado.

Da varanda podia-se contemplar todo o porto de Haifa com sua frota de navios, bem como as refinarias, e até Ako se punha sobre a palma da mão estendida, se fechasse um olho. Nenhum navio ou barco podia se infiltrar no nosso pequeno país pelo porto sem que o percebêssemos da varanda, e sem binóculo. Talvez só mesmo um submarino.

As casas na rua Stanton eram construídas com pedra árabe de boa qualidade. Não era revestimento de argamassa cinzenta, mas blocos de pedra, que davam às casas um aspecto suntuoso e especial na paisagem ao redor de Stanton. E havia varandas em todos os prédios, varanda diante de varanda, sem diferença entre fora e dentro. As paredes de pedra se destinavam a proteger do frio e do calor, e não das pessoas do bairro, as famílias que ali viviam. Não havia cortinas nas janelas e todos viam todos como num filme. Toda a sua vida ficava exposta na varanda, contida na roupa de cama empilhada sobre o parapeito para arejar diariamente. Todos os vizinhos sabiam com que freqüência, se realmente o faziam, as famílias trocavam a roupa de cama. E como se não bastasse tudo ser visível a todos, havia a roupa lavada pendurada nas cordas ao longo da varanda, que denunciava as roupas remendadas e também as roupas de baixo e camisolas puídas de tanto lavar, como se fossem objetos pendurados diariamente para venda pública.

Nas longas noites de verão, as pessoas se sentavam na varanda. Em nossa casa, papai colocava uma lâmpada, trazia uma mesa pequena e ele e mamãe jogavam rúmi todas as noites na varanda. O jogo de rúmi não impedia que meus pais conversassem com os vizinhos da frente, e, mesmo que não nos contassem, já sabíamos de tudo, pois ouvíamos cada palavra dos gritos que irrompiam de todas as casas, principalmente de alguém que estava na varanda. A nossa rua Stanton era uma rua muito barulhenta, como se todos soubessem que mamãe não ouvia bem e não quisessem prejudicá-la, e as conversas entre as varandas eram um fato rotineiro. Sentar na varanda era como sentar na poltrona para ver televisão. A varanda era a nossa televisão em transmissão ao vivo, com atores autênticos, da vida real.

Na nossa rua Stanton inventaram a *Reality TV.*

Às quintas-feiras não levavam a roupa de cama para arejar, deixando no seu lugar os tapetes no parapeito da varanda. Após absorverem durante umas boas horas o puro siroco, os tapetes eram batidos com a devida crueldade, para que ficassem limpos para o dia de shabat. Como por um sinal combinado, num único ritmo que parecia um batuque africano, as mulheres de Wadi Salib batiam os tapetes pendurados nos parapeitos da varanda.

Todas as mulheres e meu pai.

Estavam todas fora, junto aos parapeitos das varandas, inclinadas, para alcançarem a ponta do tapete, simpatizantes em potencial em prol da limpeza dos tapetes, até que viam papai. Quando papai saía com o batedor de tapetes, as vizinhas costumavam provocá-lo.

"Ei, Mosco... quando você virá bater comigo o tapete..."

"Ei, Mosco", chamava a vizinha que morava em frente a nós, "depois da noite de ontem a Bianca ficou sem forças, a ponto de você ter que bater no lugar dela?"

Enquanto as mulheres riam dele, papai sorria gentilmente para elas e lhes dizia que estavam morrendo de vontade de trocar seus maridos por ele, e elas jamais negavam.

O quarto principal na casa de Lutchi em Stanton, em Wadi Salib, era, logicamente, o seu e de seu marido, Lazar. Lazar era barbeiro. Tinha uma barbearia mais abaixo, na cidade, colada ao único e maravilhoso bar que havia lá. Na realidade, tratava-se mais de um estreito nicho com duas cadeiras e um único espelho para as duas. Como estava vestido com um avental de barbeiro de verdade, os homens entravam lá para cortar o cabelo, apesar de sua visível falta de habilidade.

Quanto a nós, as meninas, Lazar cortava nosso cabelo em casa. Não aceitávamos ir à barbearia com o argumento de que não era para mulheres. Lazar colocava um tipo de prato redondo na nossa cabeça para marcar os limites e cortava à volta toda. Até os oito anos, quando ousamos nos rebelar e não o deixamos mais tocar em nós, parecíamos, minha irmã e eu, dois pratos redondos com franja.

De um modo geral, o tio Lazar gostava de tocar. Ele me colocava sobre os joelhos e dizia que, como um tio que gostava das sobrinhas, precisava examinar meu desenvolvimento, para ter certeza de que tudo estava bem comigo. O exame dele se focava no desenvolvimento do meu peito, e não em minha altura, que media com a fita métrica de tecido usada para costura e marcava na parede.

Minha irmã, ao que tudo indica, não se deixava levar pela conversa fiada de Lazar e lhe dizia que verificasse o desenvolvimento de seus próprios filhos, pois o nosso só papai e mamãe ou a enfermeira do jardim-de-infância e da escola poderiam verificar.

Era óbvio que Iosefa, com o cabelo preto e os olhos castanhos e puxados, era a menina mais inteligente do bairro, e eu, apenas uma menina bonita. A respeito da minha irmã, que estava destinada à grandiosidade, mantinha-se uma discussão em casa sobre o que ela preferia: um futuro de médica ou uma carreira de advogada; em relação a mim, simplesmente rezavam para que algum rico se casasse comigo.

Num certo dia, quando eu brincava lá embaixo de sete pedras, minha irmã me chamou da varanda pedindo para que eu subisse, porque a vovó Vavika havia morrido.

"E daí", gritei lá de baixo, apesar de já ter quase seis anos e só uma avó. Joguei a bola com força e derrubei todas as pedras.

Quando vi a ambulância estacionando na porta da casa, parei por um instante de jogar a bola nas pedras e observei os dois enfermeiros que saíam do carro, vestindo aventais brancos e segurando uma padiola de madeira. Quando passaram pelo portão do prédio com a padiola na posição vertical, como se fosse uma escada, perdi o interesse por eles e continuei brincando.

Só depois de vencer a todos, como sempre, subi para casa.

Minha irmã me recebeu muito magoada e me disse que eu havia perdido uma coisa importante.

"O que mais eu poderia perder numa casa onde todos estão tristes enquanto eu, sozinha, derrubava sete pedras?", perguntei com desprezo.

"Você perdeu Deus", disse ela, protestando. Iosefa estava orgulhosa, pois sabia que era a única que havia visto Deus, porque estava na varanda sozinha enquanto toda a família ficava dentro da casa ao lado da vovó morta e eu, na minha estupidez, brincava de sete pedras lá embaixo. E realmente é sabido que Deus aparece nas varandas.

Minha irmã contou que estava na varanda e que de repente uma escada desceu do céu, tão alta quanto a escada de Jacob, e dois anjos vestidos de branco se aproximaram de vovó, pegaram-na, um de cada lado, e juntos subiram os três na escada que chegava até o céu, e não esqueceram de acenar como despedida para a única menina que estava na varanda e que havia visto os anjos.

Quando chegaram lá em cima, na ponta do céu, contou minha irmã mais velha que eu dois anos menos quatro meses, ele se abriu e o piedoso semblante de Deus olhou na direção deles.

"Então, como ele é?", perguntei à minha irmã com nervosismo, por ela ter visto Deus e eu não.

"Muito lindo", respondeu minha irmã que tudo vê, "tem cabelo preto e olhos verdes. Um pouco parecido com papai".

Desde então, durante toda a minha vida, vivi sabendo que havia irritado Deus com seu séqüito de anjos e que só minha irmã havia conseguido vê-lo. E ela bem que tinha me chamado para subir até em casa, mas não lhe dei ouvidos.

Ela não se apaixonou pelo homem à primeira vista, apesar de ele ser alto e charmoso, e ela bem que se sentia atraída por homens altos e charmosos.

"Eu achava que todos os homens na Espanha fossem baixos", ela lhe fez uma provocação em inglês na cozinha, duas semanas depois que começou a trabalhar no local, o escritório do engenheiro Akershtein, em Jerusalém. No início, não deu confiança àquele homem de um metro e noventa de altura. Parecia-lhe inalcançável e exalava um aroma europeu culto. Nessas duas semanas, sempre que seus olhares se cruzaram, ela fazia um leve gesto de cabeça, o que já era suficiente para impedir qualquer possibilidade.

"Eu sou a prova de que não é assim", respondeu em inglês e apertou a mão dela com vigor. Ela não sabia que era possível apertar a mão dessa maneira. Estava habituada a frouxos apertos de mão, sem entusiasmo.

Ela ficou se perguntando se ele era judeu e tentou extrair das profundezas da sua memória se restaram alguns após a expulsão dos judeus da Espanha há mais de quinhentos anos. Lembrou-se de que não restaram.

“Talvez por ser um judeu que nasceu em Barcelona”, disse-lhe o homem como se tivesse lido seus pensamentos.

“É a primeira vez que vem a Israel?”, ela perguntou com uma gentileza que não fazia parte do seu temperamento.

“É a sétima vez nos últimos três anos”, ele respondeu.

Um homem do grande mundo, pensou consigo mesma. Ela tinha vinte e dois anos e não tinha nem passaporte, pois o Sinai pertencia ao Estado de Israel e este era o lugar mais distante para onde havia ido.

“O que há em Israel, para que você goste tanto?”, perguntou com inveja. Ele já havia voado tantas vezes, e ela jamais havia visto um avião por dentro, nem no chão.

“As mulheres”, respondeu-lhe o homem, “todas são tão bonitas e altas”, ele baixou sobre ela o olhar do alto de seu metro e noventa até o metro e sessenta dela. “E ainda não visitei Haifa. Disseram-me que lá estão as mulheres mais bonitas.”

“Quem lhe disse isso sabe o que diz”, respondeu, esperando que ele perguntasse se ela era de Haifa, mas ele não perguntou. “Mas, de verdade, o que você gosta tanto em Israel para que venha para cá com tanta freqüência?”, insistiu ela.

“O fato de que todos são judeus. É muito emocionante saber que cada pessoa que circula pela rua é um judeu. Você entende? Uma terra onde todos são judeus”, prosseguiu com entusiasmo, “para mim, é maravilhoso. Até os varredores das ruas são judeus”.

“É quase certo que sejam árabes”, ela respondeu, tentando diminuir-lhe o entusiasmo.

“Mesmo assim”, disse, “todos falam hebraico e isso desperta em mim muito orgulho. O motorista do ônibus é judeu, a dona da minha quitanda é judia, todos os funcionários aqui no escritório são judeus. Você é judia”.

Ela o observou com espanto. Aquele era o tempo da euforia após a grande vitória da Guerra dos Seis Dias, e antes da desastrosa derrota da Guerra do *Yom Kippur*, e eis que à sua frente estava um judeu, um sionista charmoso com aroma europeu e um inglês cristalino. Ele lhe parecia, sem dúvida, inalcançável.

Depois, na cozinha, a secretária Maia lhe contou que ele era estudante de engenharia civil, que fora trabalhar nas férias de verão em Israel com a intenção de imigrar ao país ao término de seus estudos e que estava hospedado em Jerusalém, na casa da irmã, que também era estudante.

Quando chegou ao seu quarto, no apartamento que dividia com duas estudantes que sempre se sobrepunham a ela por não ser também uma estudante, perguntou a uma delas se tinha algum material sobre Barcelona para que pudesse ler.

"Eu estudo sobre a China", a estudante respondeu com um pouco de desprezo.

"Fica longe?", perguntou à estudante atrevida, e esta nem se deu ao trabalho de responder.

No dia seguinte pela manhã, ficou um longo tempo parada diante do armário de roupas, até que acabou escolhendo uma minissaia vermelha com uma atraente blusa de tricô.

Quando entrou no escritório, cheia de alegria no coração, o engenheiro Akershtein chamou-a ao seu gabinete e explicou que ela não podia vir ao trabalho vestindo minissaia vermelha. Ele nada advertiu em relação à blusa de tricô, mas examinou os seios erguidos enquanto dizia amavelmente: "Você precisa se vestir com discrição". Ela fingiu que não reparou no olhar insolente dele e saiu do gabinete.

"Como se atreve a pedir que me vista com discrição?", vociferou depois na cozinha para a secretária Maia. "Este é um país democrático, e eu me visto como eu quiser."

"Aconteceu alguma coisa?", perguntou o homem que entrou na cozinha para preparar um copo de café.

"Guerras entre os judeus, foi isso o que aconteceu", explicou com o rosto vermelho de raiva ao homem para quem havia se vestido daquela maneira. Não era assim que ela pretendia que ele a visse, com o rosto vermelho e os olhos lançando fogo. "Pediram-me que não viesse ao trabalho vestindo minissaia."

"Com pernas como as suas é uma injustiça", aliou-se a ela imediatamente. "Mas, por quê?", ele, apesar de tudo, se interessou.

"Porque isso pode induzir os religiosos ao pecado", ela tentou sem sucesso explicar o que é pecado, fazendo uso de uma linguagem mista entre inglês e espanhol.

"Você sabe espanhol", ele ficou feliz.

"Aprendi com meu pai", mentiu, "ele fala ladino. Mas só algumas palavras", acrescentou em inglês, antes que ele se enganasse pensando que ela realmente falava espanhol.

"O que você quer? Ele tem clientes religiosos, e o que David pede é apenas que se leve em conta os sentimentos deles. Você não pode, sentada com minissaia na frente de um cliente religioso, mostrar-lhe como a casa dele foi projetada", explicou a secretária Maia com a lógica de uma mulher de quarenta anos.

"Que olhe para o projeto e não para as minhas pernas", respondeu com a teimosia de uma mulher de vinte e dois anos.

"Você sabe que este escritório é dele e que ele pode muito bem determinar as regras", explicou Maia, ainda com paciência. "Se não lhe agrada, você pode sempre se levantar e ir embora", disse num tom para dar a entender que o chefe podia dizer a ela que se levantasse e fosse embora.

Ela percebeu o tom e disse a Maia que ia vestir minissaia sempre que quisesse, depois do horário de trabalho.

"Você quer uma oportunidade para vestir minissaia?", o homem perguntou. "Então venha comigo ao cinema esta noite. Ouvi dizer que *O passageiro da chuva* é um bom filme."

À noite, quando se sentaram no cinema, a atriz Marlene Jobert lhe pareceu familiar e ela não conseguiu se lembrar em que filme a havia visto.

"Ela é muito parecida com você", disse-lhe o homem na hora do intervalo ao lado do bar.

"Quem?", ela perguntou ofendida, ao perceber que ele observava uma moça que estava ao seu lado com uma lata de Coca-Cola na mão, vestida com minissaia preta especialmente curta, com uma blusa de musselina e um generoso decote, e com o cabelo comprido solto nas costas. Parecia estar tão convencida e cheia de si, que provocava um sentimento imediato de antipatia. Ela, por sua vez, apesar da promessa, e talvez exatamente por causa dela, vestia jeans e uma blusa azul celeste de abotoar, e sapatos de salto, para compensar um pouco a diferença de altura entre eles e para que ele não pensasse que ela estava tentando induzi-lo ao pecado com uma roupa pouco discreta. Fazia sempre exatamente o contrário do que se esperava dela. Em casa a chamavam de "a menina do contra".

"A atriz", respondeu o homem. "Vocês são muito parecidas. Ambas têm o rosto pequeno com cabelo picotado, e os olhos verdes e risonhos num olhar triste."

"Obrigada", respondeu lisonjeada, e pensou consigo mesma que talvez ele não fosse tão sem noção, se percebeu o seu olhar triste.

Depois do filme foram a um restaurante e ela mergulhou no cardápio de bebidas e tortas.

"O *shnitzel* é muito bom", o homem lhe disse. "Já comi aqui algumas vezes."

Ele, o estrangeiro, já havia comido ali algumas vezes, e ela, que morava nesta cidade há oito meses, não conhecia nenhum restaurante além do *falafel* de Rachamim. Pois quando, afinal, tinha algum dinheiro, ela preferia comprar uma saia ou calça jeans novas, que fossem só dela, sem sócios, ou um vestido para a mãe, ou roupa de baixo e meias para o pai. Para a irmã não comprava porque ela tinha um namorado que sempre se preocupava para que nada lhe faltasse. Parecia-lhe um pecado vergonhoso desperdiçar dinheiro com uma refeição, única que fosse, num restaurante.

E apesar disso, quando ele mencionou o saboroso *shnitzel*, ela se lembrou que não havia comido nada o dia inteiro, de tanta emoção.

"Não, obrigada", disse, "estou sem fome. Quero só um copo de café".

"Por quê?", ele se espantou. "O *shnitzel* deles é excelente, recheado de queijo com presunto, para quem pede baixinho. Você não come só *kasher?*", perguntou, espantado por um instante.

"Não, não. Não se preocupe com a minha comida *kasher.* Isso também não me preocupa."

Ele sorriu, e ela ia ficando com água na boca. Como *shnitzel* não fazia parte do cardápio romeno que sua mãe cozinhava, ela considerava o *shnitzel* vienense um respeitável prato gourmet, ainda mais porque estava com fome.

"Eu, realmente, estou sem fome", disse.

"Peça para você também, se não, vai ser desagradável comer sozinho", apesar de tudo, tentou convencê-la. "Você sabe que em

Viena há um restaurante muito bom que só faz *shnitzel*, e este aqui não fica nada a dever."

Mas ela estava envergonhada, pois sua mãe havia lhe explicado que as pessoas, às vezes, ofereciam por educação, e talvez ele não tivesse dinheiro suficiente e fosse, simplesmente, um homem educado, sendo assim, continuou teimando que não estava com fome porque havia almoçado bem. Talvez a verdadeira razão à recusa fosse não se sentir à vontade pensando em John, seu namorado, que lhe preparava *shnitzel* nos fins de semana, e ela não queria trair o *shnitzel* de John com o *shnitzel* vienense, num magnífico restaurante de Jerusalém.

O homem pediu um *shnitzel* vienense com purê, e ela ficou sentada em frente a ele com um copo de café e um *strudel* de maçã com creme chantili, que ele havia pedido sem consultá-la.

Se ele comer um pedaço de *shnitzel* junto com purê, é sinal que é versátil e pode ser que aconteça aqui um romance, ela brincou com o jogo dos sinais que fazia diariamente. Se ele comer o *shnitzel* separado e o purê no final, ou ao contrário, mas cada coisa separadamente, é sinal que é um chato, uma perda de tempo, e se ele cortar um pedaço de *shnitzel* e colocar purê em cima, não há sombra de dúvida de que não haverá nem mesmo um romance passageiro com esse bobalhão.

Ele pegou a faca com seus dedos longos e, com habilidade, cortou um pedaço de *shnitzel*, levou-o à boca, e depois o purê. Cortou mais um pedaço e ofereceu a ela: "Talvez você queira provar. Ainda podemos pedir, se você achar bom."

Ela observava o prato dele com inveja, lembrando-se dos sanduíches que levava para a escola Leo Baeck. Muitos amigos seus compravam na cantina de Menashe um pãozinho com queijo amarelo, e ela ficava olhando com o coração apertado. Jamais havia pedido dinheiro ao pai. Ele queria dar, apesar de não ter, e ela sempre teimava em dizer que não precisava. Pegava dinheiro só para o trem Carmelit para ir à escola, que ficava na rua Hilel, e não ter que escalar as subidas íngremes de Haifa. No caminho de volta corria pelas escadas com a mochila nas costas, galopando pelos degraus. Ela se lembrou de como queria comprar um pãozinho na cantina de Menashe, e só bem mais tarde percebeu que os outros olhavam com inveja para os sanduíches que ela trazia. Os sanduíches que o pai preparava com muito amor, de queijo búlgaro e rodelas finas de tomate que absorviam um pouco do sal e acrescentavam do seu suco, ou de queijo cascaval, tão apreciado pelos romenos, e não um queijo amarelo seco qualquer.

Anos depois, quando já eram casados e ela contou ao homem a respeito dos pãezinhos com queijo amarelo dos quais havia se lembrado com desejo durante o primeiro encontro, ele quis levá-la à cantina de Menashe e comprar todos os pãezinhos com queijo amarelo do mundo, para provar a ela que não havia perdido nada, mas Menashe já havia deixado este mundo, e no lugar da cantina ficava um estofador. Pois desde que a escola Leo Baeck passou para o lado francês do Carmel, não havia mais necessidade nem de Menashe, nem de seus pãezinhos.

"Como os judeus chegaram a Barcelona?", ela ficou interessada no primeiro encontro. E ele contou que todos os judeus de lá haviam fugido da Europa em chamas na Segunda Guerra Mundial. Os pais dele, contou, viviam na França e, com a eclosão da guerra, seu pai havia alcançado a fronteira com a Espanha e ali permaneceu por três anos, até que sua mulher veio se juntar a ele.

"Minha mãe e a irmã gêmea dela", explicou, "pareciam arianas, como o cabelo louro e os olhos azuis. Assim, permaneceram na França com os pais, até que minha mãe atravessou sozinha a fronteira com a Espanha e se juntou a meu pai e ao irmão dele."

"Então, toda a sua família vive em Barcelona?", perguntou.

"Minha irmã imigrou a Israel há três anos, quando tinha vinte anos, e agora meus pais compraram um apartamento para ela em Beit Hakerem, e eu sou o responsável pela reforma. E você, já esteve em Barcelona?", ele ficou interessado.

"Nunca estive no exterior", disse.

"Não me admira", respondeu. "Não entendo como vocês conseguem terminar o mês aqui com os salários que recebem. A vida em Barcelona é muito mais barata e os salários, muito mais altos. Você sabia que o apartamento de oitenta metros quadrados em Beit Hakerem custou mais caro que o apartamento de duzentos e cinqüenta metros quadrados que compramos em Barcelona?"

"Você tem namorada?", ela perguntou, de repente. Interessou-se mais pela resposta a essa pergunta do que pelos preços dos apartamentos em Israel. De qualquer maneira, ela não tinha a menor possibilidade de comprar um apartamento, mesmo que economizasse todos os seus salários durante vinte anos.

"Sim", ele respondeu. Ela quase engasgou. Sorte que não tinha *shnitzel* na boca. Foi-se o romance, apesar do homem ser versátil.

"Há muito tempo?", perguntou decepcionada.

"Cinco anos", ele respondeu. "Estamos noivos."

"E quando vai se casar?", ela estava irritada por ele não ter se dado ao trabalho de contar por ele mesmo. Depois se lembrou que ainda não havia perguntado até aquele instante.

"Oito meses depois que eu voltar a Barcelona", ele respondeu, poupando detalhes, como se não fossem importantes. Ela observava com aflição o prato que ia se esvaziando diante dela, com o maravilhoso *shnitzel*.

"E quando, exatamente, você volta a Barcelona?", perguntou, para ficar mais claro.

"Daqui a dois meses, quando a reforma terminar", respondeu. "Mas que diferença faz? Agora estamos eu e você aqui, e estou adorando ver seus olhos risonhos e querendo saber por que estão cobertos de tristeza."

Talvez por causa dos pãezinhos de Menashe, pensou consigo mesma, mas sabia que ele nem conhecia Menashe, e ficou imaginando por que motivo ele não lhe perguntava se tinha namorado.

Quando ele pegou a sua mão, ela sentiu um calafrio. Uma mulher que se acende depressa também se apaga depressa, ela pensou.

"E eu penso", o homem prosseguiu, ainda lhe observando os olhos que agora ficaram mais tristes, "nas suas belas pernas quando você está vestida com minissaia, no seu rosto irritado quando lhe pedem para não ir de minissaia ao trabalho e também no seu riso, e você, realmente, me faz rir".

"Fico feliz por fazer você rir", ela não retirou a mão.

"Percebi", ele disse, e de repente começou a trombetear de um jeito com a boca a canção do filme *Love story*. Ela olhou para ele e começou a rir. Ele trombeteou tão bem, como se estivesse mesmo tocando o instrumento, e encheu as bochechas como se fosse um trombeteiro de verdade.

Quando terminou de trombetear, envolveu as mãos dela nas suas e as levou para junto do peito.

"Que outros restaurantes especiais você conhece no mundo?", ela perguntou, para sair do estado de perplexidade e para que esse instante, em que suas mãos estavam junto ao peito dele, não acabasse nunca.

"Em Zurich e também em Paris, é óbvio", ele falou óbvio como se fosse óbvio também para ela. "Há um restaurante que só serve *entrecôte*. Não tem cardápio. A única coisa que perguntam é se você quer o *entrecôte* malpassado ou ao ponto."

"E quanto a bem passado?", ela perguntou.

"Isso não existe", ele fez uma careta de aversão só em pensar.

Quando a levou de volta ao apartamento que ela compartilhava com aquelas duas horrorosas, ele lhe roçou um beijo na face e se despediu com um "Nos veremos amanhã."

"Onde?", ela perguntou, com entusiasmo.

"No trabalho. Amanhã de manhã", ele lhe fez lembrar que ambos trabalhavam no mesmo escritório e que, na verdade, foi assim que se conheceram.

Quando mamãe conheceu papai

Mamãe não sabia hebraico. Quando imigraram da Romênia, só papai foi ao curso para imigrantes aprender hebraico, e mamãe foi faxinar casas. Para isso não é necessário falar hebraico. Em Wadi Salib não é preciso saber hebraico para que o entendam. Na confusão de línguas dos anos cinqüenta, entre marroquino e romeno, iídiche, ladino, árabe e polonês, todos se entendiam.

Mas mamãe, além de não saber hebraico, não ouvia bem e, assim, também não conseguia captar o idioma na rua.

Na Romênia, parece, quiseram corrigir o pequeno defeito de audição que ela tinha. "Uma cirurgia muito simples", disseram-lhe quando tinha trinta anos, "uma hora de anestesia – você não vai sentir nada e depois poderá ouvir". Mas mamãe não quis. Sabia que não era possível confiar nos médicos romenos.

Quando mamãe tinha vinte anos, teve um ataque de apendicite e foi imediatamente levada para a sala de cirurgia em Bucareste, não antes que os médicos explicassem aos seus preocupados pais que se tratava de uma cirurgia muito simples, que ela não ia sentir nada por causa da anestesia e que sairia de lá como nova. Duas horas depois, os médicos apareceram com um ar grave e informaram a meu avô e minha avó, os quais jamais conheci, que alguma coisa havia saído errado com a anestesia e que a possibilidade de Bianca se recuperar era muito pequena. Vovô Iosef permaneceu junto à cama de Bianca, enquanto a mãe dela foi chorando para casa, pois havia deixado uma menina de dez anos sozinha. Caiu no meio da rua, passou um carro e a atropelou.

E foi assim que o cadáver da vovó voltou ao mesmo hospital onde estava sua querida filha Bianca, recuperando-se de uma cirurgia de apendicite que se havia complicado, tendo que convalescer rapidamente da cirurgia, pois agora tinha que cuidar do pai viúvo, do irmão Marco, de dezessete anos, e da irmã Eurika, de dez anos.

Bianca criou Eurika como se fosse sua filha, com amor e dedicação infinitos, e com muitíssimos sentimentos de culpa.

Quando mamãe tinha vinte e oito anos, entrou certo dia no estúdio de fotografia de David para chamá-lo ao cemitério e fotografar a lápide de sua mãe. Os pais de David haviam morrido e deixaram o estúdio para ele e seu irmão mais jovem, Jako. David examinou a mulher muito magra e muito bem vestida, com um casaco longo marrom e um chapéu vermelho jogado na cabeça de um modo travesso. Mamãe tinha o cabelo castanho muito cacheado, olhos castanhos e sábios dentro dos salientes ossos da face, e o rosto branco. As mulheres naquela época evitavam bronzear o rosto, pois a mulher bonita devia ser um pouco pálida. Quando chegaram ao cemitério e David viu que vovó havia morrido com cinqüenta anos, perguntou a Bianca qual foi a causa da morte, e ela, cheia dos seus sentimentos de culpa, disse: "De uma cirurgia de apendicite que se complicou."

David disse: "Esses médicos, é impossível confiar neles."

"E nos fotógrafos, é possível confiar?", mamãe perguntou.

"É óbvio", ele respondeu. "Até a noite as fotografias estarão reveladas. Eu as levarei pessoalmente para você", David disse, e no mesmo instante foi convidado para ir jantar com o irmão mais jovem, pois nesse momento mamãe decidiu que se casaria com David.

Mais que isso, ainda antes de conhecer o irmão mais novo de David, mamãe já havia planejado que iria ser um casamento duplo, o dela com David, e o do irmão dele com a sua irmã Eurika.

No final da tarde David levou as fotografias, e todos se espantaram com a precisão da imagem e a clareza com que o nome da avó aparecia sobre a lápide.

Mamãe serviu a comida que havia preparado com esmero e bom gosto, pois, como se sabe, não há um caminho melhor para se chegar ao coração de um homem do que pelo estômago.

Mamãe contou a David e seu irmão mais novo que pretendia enviar as fotografias para a Terra de Israel, para seus dois irmãos mais velhos que moravam lá. Falou com orgulho do irmão Niko e da irmã Lika que viviam em Hadera, secando pântanos.

David ficou muito interessado a respeito da situação em Israel e de como se sustentavam seus habitantes, e até perguntou se podia se corresponder com Niko e Lika, pois desde a infância havia sido criado no seio do sionismo e, agora que seus pais não estavam mais vivos, queria manter o caminho que eles seguiam e concretizar o grande amor que dedicavam à Terra de Israel.

Mamãe foi bem-sucedida na sua tarefa. Após a refeição em família, David pediu para encontrar-se com ela de novo e, no quarto encontro, pediu sua mão em casamento. Mamãe concordou com alegria, mas pediu para adiar o casamento até que chegasse o tempo em que Eurika pudesse se casar com Jako, o irmão mais novo. David concordou com esse arranjo, que julgou coerente.

No ano de quarenta e um David comunicou a mamãe que finalmente havia decidido abandonar a Europa nazista, imigrar à Terra de Israel e abrir um estúdio de fotografia com laboratório em Hadera, pois o irmão dela, Niko, havia escrito que, agora que Hadera estava sem pântanos, faltavam profissionais liberais no país e havia demanda para qualquer coisa. Mamãe sabia que Niko, simplesmente, queria que todos imigrassem a Israel e que o futuro ali não seria tão cor-de-rosa.

Ficou combinado que David e o irmão chegariam antes ao país e que depois que se estabelecessem lá, mamãe iria com a família. E foi assim que a vida dela foi salva.

David e o irmão subiram ao navio Struma no porto de Constança, com mais uns oitocentos judeus que pretendiam imigrar à Terra de Israel. No mar Negro, próximo a Istambul, no mês de fevereiro de quarenta e dois, o navio foi afundado por um submarino alemão ou russo, e todos os passageiros morreram afogados.

Mesmo depois que se casou com papai, três anos após esse fato, mamãe se recusou a engravidar, o que não era comum naquele tempo, até que Eurika encontrasse um noivo no lugar do outro que havia morrido afogado.

Papai, que estava perdidamente apaixonado por uma moça romena que não era judia, foi pressionado pelas irmãs a se casar com Bianca, porque se tratava de uma moça solteira com dote e em hipótese alguma a mãe dele, *tanti* Vavika – aquela que havia morrido quando eu tinha quase seis anos e minha irmã havia visto Deus com seu séqüito de anjos quando vieram levá-la ao céu –, permitiria que se casasse com a moça não judia que ele queria.

Quando papai se deu conta de que mamãe não tinha nenhum dote, e mamãe se deu conta de que papai não sabia nada de fotografias, já era tarde demais, pois já estavam casados.

Quando Iosefa nasceu, no ano de mil novecentos e cinqüenta, em Bucareste, na Romênia, papai amaldiçoou mamãe dizendo: "Essa mulher não tem capacidade nem para ter um filho homem." De qualquer maneira, quando viu o bebê que havia nascido com o cabelo negro como o dele e os olhos puxados, a pequenina conquistou o coração de papai e ele decidiu que sua família viveria na terra dos judeus. Mamãe se opôs violentamente, pois não acreditava que num pequeno país cercado de árabes pudesse haver alguma coisa de bom e, principalmente, porque no caminho afundavam os navios, mas papai insistiu. Ele queria que seus filhos crescessem no país dos judeus e que não sofressem por causa do anti-semitismo. Meu pai, que talvez fosse o único judeu em toda a Romênia que jamais havia sofrido pelo anti-semitismo, uma vez que todos gostavam dele, não queria de jeito nenhum que seus filhos viessem a sofrer.

Durante toda a vida papai foi querido por todos, menos por minha mãe. Mas ele não merecia seu amor, pois gostava de todos, menos de minha mãe.

Em Stanton, em Wadi Salib, papai, mamãe e Iosefa, com oito meses, ganharam a pequena cozinha sem janelas, sem ar e nenhuma paisagem.

Mamãe ficou irritadíssima com papai, perguntando o que mais se podia esperar, em se tratando da família dele, e para que ela ficasse quieta, eles fizeram aquilo pela segunda vez na vida.

Quando eu nasci e papai se irritou com "essa que não sabe fazer meninos", ganhamos o quarto que tinha acesso à varanda.

O quarto, que media quatorze metros quadrados, tinha todas as vantagens de um apartamento tipo estúdio. Uma entrada separada do pátio da casa que dava diretamente à pequena cozinha. Uma quitinete que incluía um pedaço de mármore, com um pano pendurado num arame que descia do mármore até o chão, escondendo ao lado da pia a tina de lavar roupa e ferver as fraldas das meninas.

Bem ao lado ficava a pequena geladeira que, quando havia dinheiro para comprar um quarto de bloco de gelo, conseguia até gelar a melancia que ficava, toda orgulhosa, na geladeira e que ocupava sozinha todo o espaço.

Não era preciso armazenar comida, pois a farinha, o açúcar, a polenta e o café ficavam sobre o mármore, e o que se cozinhava durante o dia, sopa de miúdos ou polenta, comia-se no mesmo dia. Às quintas-feiras, dia da grande limpeza, comíamos sopa de galinha. Mamãe cozinhava a sopa com as asas e os pés da ave, cujas unhas papai cortava com um machado.

Sefi e eu comíamos as asas com a sopa, mamãe comia os pés e papai comia fora. As partes nobres da galinha, o peito e a coxa, mamãe separava para a refeição de sexta-feira, para a entrada do shabat.

Uma escada indicava o fim da quitinete dois passos depois e conduzia ao salão do nosso quarto. O quarto era abarrotado, com muito aperto, e não sobrava nenhum pedaço de parede vazia. No quarto havia três camas, uma dupla para as meninas, e mais duas camas separadas, cada uma apoiada numa parede, por causa do risco de não poderem se sustentar sozinhas sobre seus pés. Papai não concordava em dormir na cama de casal com mamãe porque ela roncava. Na terceira parede ficava apoiado o armário marrom, contendo roupas e alguns objetos, entre os quais, muito bem escondido numa caixa de papelão usada e engordurada, o *Turkish delight* que mamãe guardava para visitas especiais. Junto ao *Turkish delight* estavam espalhadas bolinhas de naftalina com cheiro tão forte, que até nós, meninas carentes de guloseimas, não nos confundíamos, e não tínhamos qualquer dúvida de que não eram balas de comer, apesar de serem brancas e do tamanho adequado para a boca desejosa de alguma coisa doce.

No meio do quarto ficava a mesa de madeira marrom com um belo vidro em cima, como se o vidro estivesse ali para impedir que a madeira rachasse ou apodrecesse. A mesa era o centro do quarto e servia a todas as necessidades da casa. Começando pela comida, mas também às freqüentes partidas de rúmi, à pintura dos cubos de rúmi a cada três meses, como mesa de desenho de Sefi, como mesa dos letreiros da gráfica de papai, à cata de arroz ou farinha, à debulha das ervilhas ou ao corte de pontas da vagem, e tudo isso sobre o vidro, em cima do nosso álbum de fotografias.

Na mesa, debaixo do vidro, apareciam os rostos de papai e mamãe no dia de seu casamento, bonitos e bem-arrumados. Mamãe em diferentes casamentos na Romênia, sempre bem vestida, com um casaco grosso e um chapéu jogado de lado, de um modo travesso. Na fotografia em que está com o vestido branco de verão, aparecia seu corpo bem talhado e muito magro, que não necessariamente era considerado bonito naquele tempo, mas mamãe, bem como papai, havia se antecipado à sua geração e era magra no tempo em que magreza era sinal de pobreza. Nas fotografias familiares da Romênia aparecia a enorme família de mamãe com cinco irmãos, enquanto nós, as meninas, recebíamos uma explicação detalhada sobre os três irmãos que ficaram na Romênia, uma vez que não haviam recebido permissão para imigrar à terra dos comunistas, e sobre os dois irmãos mais velhos que imigraram a Israel nos anos trinta e secaram os pântanos de Hadera. Com o tempo, juntaram-se às fotografias romenas outras tiradas em Israel, principalmente as nossas, com fantasias de Purim. No canto do quarto ficava a máquina de costura de mamãe, e sobre ela eram colocados a roupa de cama e os cobertores que antes haviam sido arejados na varanda, bem dobrados numa pilha alta. À noite, quando íamos dormir, a máquina de costura ficava livre da carga da roupa de cama, e mamãe podia costurar tudo o que precisava de conserto, reforçando os remendos e tapando os furos das roupas.

A parede ocidental ficava de frente para o mar, com janelas altas de vidro até o teto, abobadadas em arcos de acordo com a construção árabe moderna, e uma porta de vidro que abria para a varanda, de onde se contemplava tudo o que acontecia embaixo, ou à frente, deixando perceber com clareza todo o movimento ou conversa dos moradores da rua.

A terceira vez que fizeram aquilo foi no dia em que vovó Vavika morreu. Acordei no meio da noite por causa dos ruídos e vi papai nu com o traseiro para cima, deitado sobre a mamãe.

No dia seguinte pela manhã perguntei irritada a papai se ele havia batido em mamãe, como Nissim, o vizinho sírio de cima, que batia na mulher todos os dias.

Papai disse que havia sido obrigado a fazer massagem nela porque lhe doíam as costas devido ao trabalho de faxina em tantas casas e porque nós éramos meninas egoístas que não nos preocupávamos com mamãe durante o dia, então ele era obrigado, ao voltar tarde do trabalho, a untar com um jato o corpo dolorido de mamãe.

Eu disse a papai que não era verdade que ele voltava tarde do trabalho e que mamãe sempre voltava mais tarde do que ele, e fui brincar de esconde-esconde lá embaixo.

Papai e mamãe brigavam o dia inteiro. Não passava um dia sequer sem, pelo menos, uma briga. As brigas eram barulhentas, e em toda Stanton se ouviam os gritos. Mas ninguém batia em ninguém. Diferente das outras famílias que não brigavam, só batiam. E por não baterem um no outro, minha irmã e eu achávamos que papai e mamãe eram muito felizes.

— Eu disse a [illegible] que não era verdade que ele voltava tarde do trabalho [illegible], resolvia a mais tarde do que ele [illegible] sábado.

[illegible] perguntando [illegible]. Não passava um dia em que [illegible] sem, pelo menos, uma briga. As brigas [illegible] gritos. Mas ninguém [illegible] em ninguém. [illegible] das outras famílias que não brigavam [illegible] também [illegible] felizes.

Por dois meses ela e o homem se viam durante a semana no trabalho e à noite se divertiam, um nos braços do outro, no apartamento da irmã dele que, naquela época, estava em Barcelona. Nos fins de semana ela ia a Haifa para ficar com John e os pais, e ainda que ele tivesse demonstrado certo interesse, ela jamais o convidou para ir junto.

Ao seu modesto quarto, com as duas companheiras arrogantes, também não quis levá-lo. Na verdade, o quarto dela era a sala aberta na direção da cozinha, com um tapume fino, com a espessura de dois centímetros, que John havia construído com muita habilidade.

O homem trombeteava no seu ouvido ou cantava para ela em inglês, enquanto ela chorava baixinho, pensando nos dias da despedida. Nenhum homem antes dele havia trombeteado no seu ouvido. Cantavam para ela canções em hebraico e declamavam versos em espanhol boliviano, mas nenhum deles havia trombeteado em inglês.

No fim da última semana antes de sua volta a Barcelona, ela havia lhe prometido que voltaria de Haifa no sábado ao anoitecer para que ficassem juntos na última noite antes da viagem, mas John insistiu em levá-la a Jerusalém de carro para que não precisasse pegar um ônibus. Durante toda a viagem ficou aflita com a promessa que havia feito e com a certeza de que não conseguiria se despedir dele antes que voltasse à sua noiva em Barcelona.

"Você quer que eu fique em Jerusalém para procurarmos juntos um apartamento?", John perguntou, sabendo que ela odiava as duas companheiras.

"Não estou bem certa", ela respondeu, irritada por ele ter insistido em levá-la.

"Não está bem certa de querer morar comigo ou de que eu permaneça em Jerusalém?", John perguntou, ofendido com o tom incisivo da fala dela.

"As duas coisas", ela respondeu. "Acho que estou completamente cansada de Jerusalém. Minha irmã sugeriu que eu fosse morar com eles em Tel-Aviv e estou pensando em aceitar a sugestão dela."

"E é assim que você me avisa, depois de eu já ter dito no trabalho em Haifa que iria embora porque estava me mudando para Jerusalém?", John ficou perplexo.

"O que você quer? Não planejei isso", ela disse com maldade, só porque ele havia atrapalhado seu plano de se despedir do homem de Barcelona.

"E quando pretendia me dizer?", perguntou.

"Foi só agora que pensei na possibilidade de trabalhar em Tel-Aviv", ela observou de lado o rosto irritado dele. "Você está com raiva de mim?"

"Estou furioso com você por não ter se dado ao trabalho de me comunicar os seus planos", respondeu John, que planejava mudar-se para Jerusalém, a pedido dela.

"Quer que eu desça do carro?", ela perguntou.

"E por que não?", ele respondeu e, surpreendendo-a, parou o carro de repente na subida a Kastel.

Ela desceu um pouco ofendida por ele ter deixado que saísse sem ter lutado por ela e, ainda por cima, por ter parado no meio da noite na subida a Kastel, com todos os terroristas e estupradores que circulam por ali livremente. Ela desceu do carro e começou a andar, sem olhar para trás. Com o rabo do olho viu o carro dele passando por ela. Tentou pegar uma carona, e o segundo carro parou para ela entrar.

O motorista perguntou se ela não tinha medo de pegar carona à noite, e ela perguntou se ele pretendia violentá-la.

"Não", o gentil motorista respondeu.

"Então não tenho medo", disse, e vinte minutos depois ele parou na porta de sua casa.

John estava esperando por ela junto à escada, no escuro; quando ela o viu, deu um pulo e disse: "Você me assustou."

"Desculpe, não era a minha intenção. Não pensei que você fosse descer do carro", ele disse.

"E eu não pensei que você fosse parar no meio da noite na subida a Kastel", ela respondeu.

"Eu te amo."

"Eu sei. Quer entrar?", pensou em deitar com ele, o último sexo de misericórdia.

Ela desconectou o telefone para que o homem de Barcelona não quisesse, também ele, se despedir. Entraram no quarto dela, atrás do tapume fino, se despiram em silêncio, e não pronunciaram nenhuma palavra nem deixaram escapar sequer um gemido.

Quando acabou, ele perguntou a ela se havia deitado com ele por piedade, e ela disse que havia conhecido um outro homem e que estava muito confusa.

John se vestiu em silêncio e saiu sem se despedir. Ela quis pedir para ele ficar e dormir com ela, para que não dirigisse todo o caminho de volta a Haifa, mas não disse nada.

No dia seguinte, no trabalho, o homem telefonou do aeroporto, frustrado por não ter conseguido falar com ela a noite toda, e ela mentiu, dizendo que havia sido obrigada a ficar em Haifa e que havia chegado direto para o trabalho.

Ela permaneceu em Jerusalém, e dois meses depois que ele voltou a Barcelona, com a promessa de que ia escrever, eclodiu a Guerra do *Yom Kippur*. Ele escreveu cartas e até telefonou algumas vezes, mas ela não tinha paciência para responder. Ele estava lá, em segurança, entregue nos braços da noiva, enquanto ela ia reduzindo o seu potencial de se casar e seus amigos morriam a cada dia. Uma vez, ela chegou a telefonar a John, em Haifa, mas disseram que ele havia ido embora. Ela não se atreveu a telefonar à mãe dele para pedir o novo número. Sentia-se envergonhada e imaginou que a mãe dele estava irritada com ela, e com razão.

Todos os dias ia visitar os pais de Kushi que moravam em Nachlaot, para não ficar mergulhada sozinha nesse estado de tensão. Eles tinham dois filhos na guerra. Kushi, pára-quedista, que era o seu melhor amigo desde o tempo em que ele estudava no internato militar em Haifa, e o irmão, que recolhia feridos em um helicóptero.

Dez dias depois, o irmão de Kushi veio para uma visita de doze horas em casa.

Ele contou a respeito da terrível guerra, com soldados tombando como moscas, e ela ficou imaginando como é ser uma mãe cujo filho voltaria ao campo de batalha no dia seguinte pela manhã, sem saber se sairia vivo ou numa padiola como os feridos e mortos que ele recolhia diariamente. Ela decidiu que precisava fazer alguma coisa em prol do esforço bélico e, obviamente, em prol dessa família iemenita, da qual gostava tanto e se sentia como uma filha. Enquanto o observava, ouvindo as histórias do terror da guerra, decidiu que ele voltaria à batalha pela pátria com um presente pessoal seu. Decidiu deitar com ele naquela noite para que, pelo menos, voltasse à estúpida guerra com um gosto bom na boca. Ou na memória.

No mesmo instante em que tomou a decisão, sabia que Kushi, que naquela época estava lutando no Sinai, certamente não ficaria nada feliz com a idéia de ela se deitar com seu irmão mais jovem, mas que o irmão mais jovem ficaria muito feliz em ganhar uma trepada a título de bênção para o caminho. E ele, de fato, atendeu prontamente ao primeiro sinal dela.

"Posso lhe preparar um café do jeito que eu gosto?", ela perguntou.

"De que jeito você gosta?", ele perguntou.

"Forte. Bem forte, a ponto de entrar nos ossos", ela respondeu.

"É claro que sim", ele disse. Pelo visto, não estava interessado em desperdiçar a noite dormindo.

Quando os pais dele foram dormir, eles pegaram os copos de café forte e entraram no quarto, como se estivessem habituados a fazer isso diariamente.

Ele era muito sensual, e ela sentiu que a sua contribuição ao esforço bélico causava mais prazer ainda.

Alguns dias depois, recebeu uma carta preocupada do homem de Barcelona, pois ele não tinha notícias suas ultimamente e queria saber como estava a situação no país, e ela respondeu que cada um estava fazendo o melhor que podia, e prosseguiu contando com detalhes o que ela pôde fazer, mas sem mencionar que também havia sentido prazer no esforço bélico. Um dia após ter recebido a carta, ele telefonou dizendo que naquele exato instante estava aterrissando em Israel. Ela estava a caminho do hospital para doar sangue, pois a mãe de uma amiga precisava fazer uma cirurgia. Ele sugeriu ir direto do aeroporto ao hospital.

Durante um bom tempo a enfermeira tentou achar uma veia no braço dela, mas não conseguiu. Então o homem, que acabara de chegar de viagem, envolvido em um aroma espanhol, sem a angústia da guerra que pairava sobre todos no hospital, disse que tinha muitas veias e se ofereceu para doar sangue no lugar dela.

Nos dias seguintes eles se viram diariamente no quarto dela com o tapume fino que John havia construído, sem nenhuma preocupação com os ruídos, e todo final de tarde as duas companheiras os convidavam gentilmente para comer com elas na cozinha, mas eles recusavam em espanhol e ficavam enfurnados no quarto.

Dez dias depois, o homem voltou a Barcelona e rompeu o noivado. Ele queria contribuir para o esforço bélico, levantando o moral dela. Cada um contribuía para o esforço bélico de acordo com a sua possibilidade.

Só depois de terem se casado, ele lhe contou que fazia já muito tempo que tinha dúvidas sobre o seu noivado com a menina rica que se achava o máximo e que se ocupava principalmente com a sua imagem, roupas e o bate-papo com as amigas nos bares. Mas, no último instante, nunca tinha coragem de cancelar o noivado, apesar de já estar apaixonado por ela desde os meses do verão, quando se divertiam juntos. Quando ela lhe escreveu sobre o esforço bélico que havia feito e quando chegou ao país que tanto amava e que estava, de repente, em perigo, e ao sentir a terrível tensão da guerra, só então juntou forças para enfrentar sua família e comunicar que ele simplesmente não queria se casar com a sua noiva.

Seus pais, ao contrário, sentiram-se aliviados. Ficou, então, esclarecido que eles também não gostavam da eleita do seu coração, mas não se atreviam a lhe dizer.

Mas antes de pedi-la em casamento, e antes de ela ter ido a Barcelona para passar três meses, ele lhe telefonou, à casa da irmã em Tel-Aviv, onde estava porque o cunhado havia sido recrutado por um longo período, e anunciou que viria com os pais para *Pessach*, para passarem com a irmã no novo apartamento em Beit Hakerem, e convidou a si mesmo para a ceia de *Pessach* no apartamento dos pais dela, para conhecer a família.

"Você não gostaria de estar junto à sua família na ceia de *Pessach*?", ela perguntou, e ele a tranqüilizou dizendo que estava todo o tempo com a sua família e que para ele era mais importante conhecer a família dela.

Depois de intensas consultas que fez à irmã, elas decidiram que, para não assustar o predestinado logo de início, era melhor não convidá-lo ao apartamento dos pais em Haifa, mas fazer a ceia na casa da tia que morava em Bat-Iam, com a desculpa de que Bat-Iam era mais próxima de Jerusalém do que Haifa. Pois fazia apenas alguns meses que John havia lhe dito que, ao entrar na casa dos pais dela pela primeira vez, havia ficado abalado com a pobreza, para não dizer miséria, na rua Hapoel, em Haifa. Era o apartamento que os pais dela compraram com muito esforço, penhorando a vida, para se mudarem da parte baixa de Haifa para Hadar Hacarmel.

A irmã havia dito ao pai que, caso não mudassem de apartamento, ela, a mais jovem, se tornaria uma menina de gangue de rua e não teria nenhuma chance de achar um noivo rico. Os pais, assustados, correram para procurar um apartamento compatível com o seu bolso e, com muito esforço e pesados empréstimos, conseguiram achar um apartamento num prédio feio de doer na rua Hapoel. E foi a respeito desse apartamento, que na opinião das duas irmãs representava uma ascensão na escala social, que John, aquela boa alma, após seis meses de namoro, havia dito ter ficado abalado com a miséria quando entrou na casa pela primeira vez. É que John, a mãe e a irmã imigraram a Israel diretamente de uma suntuosa casa na Bolívia, a qual abandonaram depois que o pai havia largado a família para ficar com sua jovem secretária. O sensível John, então, acabou convencendo a mãe a imigrarem a Israel, porque, afinal, quem muda de lugar, muda de destino.

Desta vez as irmãs decidiram não correr risco e fazer a ceia com o respeitável hóspede na casa da tia Eurika, em Bat-Iam.

Os pais dela chegaram à casa de Eurika, irmã da mãe, aproximadamente uma semana antes da noite da ceia, para eliminar toda migalha de pão que havia restado, e Iosefa costurou vestidos para as duas, com as próprias mãos. Ela não gostou do seu vestido e, apesar de não querer ofender a irmã, foi comprar numa barraca na rua Dizengoff, pelo preço da feira do Carmel, um vestido da cor dos seus olhos, verde acinzentado, que lhe acentuava a feminilidade, apesar de passar dos joelhos. A irmã era inteligente o suficiente para não se ofender, e as duas conseguiram convencer Bianca, a mãe, a costurar um vestido novo e, até mesmo, a ir ao cabeleireiro.

"Mas meu cabelo é muito fino", Bianca tentou convencê-las de que era um desperdício gastar dinheiro com um penteado que iria agüentar no máximo três dias no seu cabelo fino, mas elas não se convenceram e ficaram esperando na porta do cabeleireiro em Bat-Iam, até que a mãe saísse com spray no cabelo. Todos, inclusive os tios, investiram todo o salário do mês para causar boa impressão ao homem alto de Barcelona e o esperaram, contentes e bem-arrumados, ao lado da mesa posta da melhor maneira possível. Às sete e meia, em vez de tocar a campainha da porta, tocou o telefone. Era ele, dizendo que sua irmã havia ficado furiosa por ele não permanecer com ela na noite da ceia, sobretudo porque seus pais vieram especialmente a Israel para que ficassem todos juntos e ela havia se esforçado muito o dia inteiro para que todos se sentassem à mesa, em Jerusalém.

"Você não havia dito a eles que estaria comigo?", ela tentou entender.

"Não pensei que minha irmã fosse ficar tão furiosa", ele declarou com sinceridade.

Ela disse que não tinha importância, e olhou para o maravilhoso penteado da mãe. O marido da irmã sorriu para ela dizendo que na Espanha, pelo visto, ainda se obedecia aos pais e que ele ainda iria amadurecer, mas ela ficou muito ofendida, por terem se esforçado tanto para esta data e causar boa impressão.

"Você pode dizer à sua irmã que meus pais vieram especialmente de Haifa para conhecê-lo", disse, tentando ainda insistir para que viesse, com muita raiva das dezenas de conversas ao telefone quando ele teimava em conhecer seus pais. Ela o escutou falando com a irmã em francês, e ouviu também a resposta irritada, na mesma língua.

"Ela está dizendo que meus pais vieram especialmente de Barcelona para que ficássemos todos juntos", ele explicou em inglês, e ela foi obrigada a explicar aos pais em romeno por que motivo o "candidato" havia cancelado a sua presença na noite da ceia deles.

"Posso ir para o café, mais tarde", disse, mas ela recusou. Pensou consigo mesma que não fazia sentido todos ficarem tensos, esperando até as onze da noite, na expectativa que ele chegasse, se realmente fosse chegar.

"Nos veremos amanhã", ela disse, disfarçando a decepção que ele havia causado à sua família.

No dia seguinte ele chegou à casa da irmã dela com um buquê de flores gigantesco e saíram os quatro para passear no pequeno carro da irmã e seu marido. É óbvio que no caminho aconteceu um enguiço, e, quando ele sugeriu entrar debaixo das rodas para consertar o enguiço, ninguém se opôs. Sentiam que mereciam uma compensação pela decepção do dia anterior e não se compadeceram por ele ter ficado com as mãos pretas de fuligem durante todo o passeio. Os dois sentavam juntinhos no banco de trás, mas, ao tentar abraçá-la, ouviu que suas mãos estavam sujas e que a blusa dela era branca.

Durante dez dias ele a cortejou com um entusiasmo europeu que a deixou muito lisonjeada. Abria-lhe a porta do carro da irmã dela para que entrasse, abria-lhe a porta antes de entrarem no prédio e andava ao lado dela na rua à direita, pois se, Deus o livre, o prédio desmoronasse, seria o primeiro a sofrer o impacto. Quando foram a um maravilhoso restaurante de peixes, ele cortou o peixe ao meio, retirou a espinha e lhe ensinou como cortar o peixe pelos lados para se desfazer das espinhas pequenas. Depois, lhe ofereceu um pedaço de peixe do prato dele, para que, pelo menos, ela provasse.

Num outro dia, pediu para ela camarão, que ela jamais havia provado, e mostrou-lhe como tirar a cabeça e descascar em volta. Quando trouxeram água com limão numa vasilha pequena e ela perguntou como era possível beber da vasilha, ele explicou que a água com limão se destinava à lavagem das mãos depois de descascar o camarão. Ele lhe serviu vinho e, quando ela pediu Coca-Cola, tirou a tampa e encheu o copo, enquanto ela o observava, encantada. Ele era um homem do grande mundo, habituado a gentilezas. À noite, depois de devorar o corpo dela sem retirar antes os ossos, cantava-lhe canções de ninar enquanto ela dormia feliz nos braços fortes dele. Ela se sentia protegida e amada, e o amava por isso.

Depois de duas semanas de camarões, trepadas e canções de ninar, ele voltou a Barcelona com os pais, mas antes a fez prometer que na próxima vez seria ela quem iria visitá-lo. Durante três meses, ficou telefonando quase todas as noites, com saudade, mas ela estava cansada demais para sentir saudade. A jornada de trabalho em dois turnos para juntar dinheiro para a viagem e comprar lentes de contato a deixou completamente abatida. Durante todo aquele tempo morava na casa da irmã e do cunhado em Tel-Aviv, que trabalhavam pesado e economizavam dinheiro para o mestrado em Nova Iorque, e quando todos voltavam à noite, esgotados e famintos, tudo o que havia na geladeira era, geralmente, um pedaço de queijo. Quando a mãe delas ia visitar e enchia a geladeira, só então percebiam até que ponto eles estavam economizando cada centavo para viajar ao exterior. Ela, para o eleito do seu coração, e eles, para os estudos.

Ela comprou lentes de contato com o salário do mês e ficou feliz com o fato de que finalmente seus olhos seriam vistos. Ela comunicou ao homem por telefone que ele não a reconheceria sem os óculos colados no seu nariz desde quatorze anos de idade. Na noite anterior à viagem, emocionada e tensa ao extremo, quando colocou as lentes no estojinho de plástico, acabou fechando a tampa em cima da lente, que ficou completamente rasgada. Durante todo o vôo a Barcelona, o primeiro de sua vida, chorou amargamente pelas lentes destruídas. Ela queria tanto causar uma boa impressão ao homem que esperava por ela e à sua família. Um mês inteiro de trabalho forçado havia se perdido, e agora ela ia chegar feia e de óculos em Barcelona, ainda mais depois de ter garantido que ele não a reconheceria.

Ele a reconheceu facilmente, com os terríveis óculos e os olhos chorosos.

"Vamos comprar óculos novos", ele disse. "Mas você tem que prometer que depois vai sorrir para mim."

Quando ela escolheu uma armação que não lhe parecia cara, ele escolheu uma outra, preta, com pequenos brilhantes nas hastes, e pediu que ela provasse.

Os óculos lhe caíam muito bem.

"Vamos levar estes", ele disse à vendedora, e ela percebeu que o preço era três vezes maior do que o da armação que havia escolhido.

Neste momento sorriu para ele, pois se sentiu bonita de novo.

"O riso dos seus olhos voltou, exatamente como eu os tinha em pensamento", ele disse e a abraçou.

"Para onde vamos?", ela perguntou quando entraram no pequeno Seat dele.

"Ao apartamento onde você vai ficar, só para deixar as coisas, e depois para a minha casa. Meus pais estão nos esperando."

"Não vamos ficar juntos?", perguntou confusa, pois havia sido convidada para ficar em Barcelona durante três meses para que se conhecessem melhor.

"Essa era a minha intenção, mas quando disse a meus pais que pretendia ficar com você, eles se opuseram enfaticamente, argumentando que aqui não é costume um rapaz deixar a casa antes do casamento." "Meu pai ficou tão irritado", ele contou com ingenuidade, "que achei que não faz diferença você dormir num quarto seu. De qualquer maneira ficaremos juntos o dia inteiro".

Um homem com boas intenções, pensou consigo mesma, tentando se consolar.

"Arranjei um quarto para você no apartamento da secretária que trabalha comigo; ela está procurando uma companheira para dividir", ele disse. "Ela é muito simpática. Chama-se Mercedes, e seu namorado, Jorge. Além disso, o bairro também é simpático e não fica distante do meu trabalho."

"E por que Mercedes e Jorge moram juntos?", perguntou, apesar de tudo.

"Bem, eles não são judeus. Entre nós é mais complicado", e ela continuava sem entender por que um homem de vinte e oito anos, que havia sido noivo durante cinco anos e que se sustentava sozinho, não podia, simplesmente, comunicar aos seus pais que queria morar com a israelense, a eleita do seu coração, que havia abandonado sua pátria para ficar com ele no exterior.

"A sua irmã saiu de casa quando tinha vinte anos", ela continuou tentando entender o homem por quem havia se apaixonado.

"Ela imigrou a Israel para estudar. Se eu tivesse saído de Barcelona, não haveria problema. Mas meus pais se opõem a que eu saia de casa para morar de aluguel com você. Aqui isso não é comum. Esse país é muito católico e tradicional", ele acrescentou.

"Mas você é judeu", ela disse baixinho, e ele não escutou. Ou talvez tenha escutado.

Quando papai conheceu mamãe

Papai não tinha trabalho fixo. Trocava de profissão com freqüência. Que profissão, que nada, era trabalho. Ele não tinha profissão, esse era o problema.

Quando tinha um escritório de corretor de imóveis com um sócio, papai fazia todo o trabalho, conhecia todas as casas de Wadi Salib e da cidade baixa, sabia convencer e vender maravilhosamente bem, perambulava por toda a cidade, mas, no final das contas, o sócio dele o enganou e o expulsou do negócio, o negócio que papai havia criado sozinho.

Depois papai abriu um restaurante, e novamente o enganaram. Abriu uma oficina de pneus Alliance, e mamãe gritou com ele, porque ninguém tinha carro nas redondezas.

Abriu um bar com um sócio marroquino, trazia o bairro inteiro para jogar gamão, preparava um café romeno tão forte como só ele sabia fazer, colocava na cafeteira toda a alma, e tantas colheradas de café que o negócio não se pagava, e foi obrigado a fechar o bar com prejuízo.

Entre um trabalho e outro, papai era o grafista do bairro. Escrevia com letras sinuosas e coloridas em hebraico, sobre cartolina pautada para não sair da linha, tudo o que lhe pediam: Barbeiro, Sapateiro, Bar e Escritório Imobiliário. Papai não recebia dinheiro por esse trabalho, mas ganhava favores convenientes de todo tipo, como entradas para o cinema ou sorvete grátis para as meninas.

Nosso sonho era que papai tivesse estabilidade num trabalho. Estabilidade era uma palavra que soava como uma garantia de dinheiro, pois amávamos tanto o nosso pai, mas sabíamos que sem estabilidade era muito difícil confiar nele – o homem sofria de excesso de bondade. A bondade jorrava dele por todos os lados e, tirando as filhas, estava sempre disposto a dar tudo o que tinha para ajudar o próximo. Uma pessoa encantadora e, principalmente, muito divertida. Por isso todos gostavam tanto de ficar perto dele. Papai era um homem bonito e vistoso, de cabelo preto e olhos verdes um pouco puxados e caídos, como se fosse por tristeza e perplexidade. Não era à toa que minha irmã achava que papai era parecido com Deus. A cor verde dos olhos deixou-me por herança. O formato puxado deixou para Iosefa, a quem ele chamava de Fila.

A tristeza deixou para nós duas.

Na Romênia eles tinham um cinema – "Nissa" – ao lado do jardim público Cismigiu. Papai e mamãe eram importantes na Romênia, principalmente porque viam todos os filmes e conheciam todos os atores. Em casa falavam de Greta Garbo, Judy Garland e Frank Sinatra como se tivessem estudado juntos na escola. Sentiam-se os donos das estrelas hollywoodianas, pois se não fosse a sua sala de projeção o povo romeno não teria conhecido as estrelas do mundo.

Antes da Grande Guerra, nos anos trinta do século que felizmente já acabou, quando papai tinha trinta anos, ele e seu cunhado Chari faziam consertos em Bucareste.

Passavam de casa em casa e sempre achavam uma cerca quebrada, um reboco descascado com cal esfarelando ou uma mesa de jantar balançando. Papai, com a sua lábia, convencia sem nenhum esforço a dona da casa romena a fazer uma surpresa para o marido, que, quando voltasse para casa, iria encontrar tudo ajeitado para contribuir com a beleza da Romênia, e tudo isso em troca de tantas e tantas liras romenas e um almoço para os dois trabalhadores. As mulheres iam atrás da conversa fiada e mágica de papai e das mãos de artista de Chari, e assim, com esse estilo incisivo de divulgação, raro nos anos trinta, papai e Chari ficaram famosos como prestadores de serviço confiáveis e profissionais.

Um dia, quando entraram em uma das belas casas de Bucareste, uma linda mulher lhes abriu a porta.

"Fazemos consertos", papai disse, olhando para a senhora Dorman com os olhos verdes e penetrantes.

"Não tenho nada estragado em casa, além do meu marido", a senhora Dorman respondeu.

"Ficaremos felizes em consertar o seu marido", papai lhe disse, sorriu e, assim, conquistou o coração dela. Ele entrou na casa seguido por Chari e ela os conduziu a um quarto escuro, onde estava o marido, esclerosado, sentado com a cabeça caída.

"Já que estão aqui, ajudem-me a levá-lo ao banheiro. É difícil me virar sozinha com ele", a senhora Dorman disse para papai, olhando-o com um sorriso arrogante.

Durante dois meses, papai ajudou a levar o marido esclerosado ao banheiro, quando chegava à casa da senhora todo final de tarde, após o trabalho.

Depois desses dois meses, papai convenceu a senhora Dorman a admiti-lo como sócio ativo no cinema dela, pois somente ele poderia salvar o cinema da falência, já que desde que o marido havia adoecido, ela se viu obrigada a ficar em casa para cuidar dele.

A senhora Dorman era uma mulher muito bonita que pertencia à aristocracia romena, católica, é óbvio. Sua família era muito arraigada no meio da alta sociedade da Romênia, e especialmente próxima do governo. A senhora Dorman pegou papai como sócio e como amante. E, de fato, papai salvou o negócio. Inventou novas manobras de divulgação e, assim, a sala de projeção deles ficava abarrotada de gente. Sua campanha incisiva de divulgação, "Saia da caixa e vá ao cinema", incluía dois filmes e uma apresentação de cabaré pelo preço de um só ingresso. Nos longos intervalos entre um filme e outro, todos iam ao bar da irmã dele, Vida, que havia obtido a concessão para isso. Todos os jovens talentos – comediantes, dançarinos e dançarinas, cantores e cantoras – apareciam no cinema de papai e se apresentavam nos intervalos entre um filme e outro.

Papai tinha amigos da Guarda de Ferro romena e os contratou como seguranças do cinema. Pagava-lhes com generosidade como se soubesse antecipadamente que algum dia precisaria deles. E eles, de fato, mantinham uma ordem exemplar no cinema, afastando bêbados e outros intrusos.

Quando eclodiu a Segunda Guerra Mundial, todos os homens foram enviados para trabalhos forçados, menos papai. Seus amigos da Guarda de Ferro providenciaram autorizações adequadas para que o trabalho no cinema fosse reconhecido como de suma importância para o esforço bélico e para a manutenção do moral no âmago do povo romeno. Isso não impediu que a Guarda de Ferro continuasse a prejudicar os judeus e a entregá-los aos alemães, e a papai diziam, como que para justificar seu relacionamento com ele: "Bem, você é um judeu diferente."

Vida e Lutchi, irmãs de papai, trabalhavam de manhã numa empresa italiana de manutenção de rolos de filmes, examinando rasuras ou rasgões que, quando encontrados, eram cortados e colados com delicadeza e precisão. Esse trabalho também havia sido reconhecido pelos amigos de papai como essencial para o esforço bélico. À noite, trabalhavam no cinema de papai.

Vida e Lutchi eram sionistas muito ativas na Romênia e, durante todo o período da guerra, escondiam em suas casas outros ativistas sionistas que eram procurados pela Guarda de Ferro para que fossem entregues aos alemães. Bem debaixo do nariz dos amigos da Guarda de Ferro, e com o total conhecimento de papai, se escondiam os ativistas sionistas e, com o passar do tempo, também jovens que conseguiram escapar dos campos de extermínio e chegaram à Romênia, a caminho de Israel. Na casa de Lutchi, Itzchak Artzi, pai de Shlomo Artzi, ficou escondido durante alguns meses, até que conseguiu imigrar a Israel.

Na casa de Vida viveram, durante vários meses, quatro rapazes judeus que fugiram da Polônia e da Rússia. Durante o dia ficavam trancados dentro de casa e à noite saíam para arejar com a bicicleta da pequena Lori.

Lori tinha oito anos e se esforçava muito para ser aceita entre os amigos. Quando foi convidada para o aniversário da rainha da classe, no auge da Segunda Guerra Mundial, vestiu uma roupa de festa e levou um presente especialmente caro. Na festa de aniversário, lá no centro de Bucareste e bem no meio da guerra, houve uma apresentação com um mágico de verdade e, quando todas as crianças aplaudiram com entusiasmo, Lori foi para o centro do recinto e disse que ela também sabia fazer mágicas.

"O que você sabe fazer?", perguntaram a Lori.

"Posso engolir botões de tamanho médio e também grampos de cabelo sem que nada me aconteça", respondeu a menina, e engoliu todos os botões e grampos que lhe deram. À noite, teve febre de 41 graus.

A mãe, Vida, teve muito medo de mandar Lori ao hospital, pois sabia que, no instante em que chegassem ao hospital, matariam a menina judia em vez de salvá-la.

Papai tranqüilizou a irmã e lhe disse para não se preocupar, porque também lá ele tinha um amigo médico. Ele levou Lori direto ao médico, enquanto a Guarda de Ferro o acompanhava no caminho ao hospital com uma respeitável comitiva de motocicletas, apitando com toda a força, como se fosse a comitiva do rei. Quando chegaram ao hospital, despediram-se de papai e desejaram a Lori que ficasse logo boa. Papai explicou ao amigo médico que Lori era sua sobrinha mais querida e que ele precisava operá-la imediatamente e retirar os botões da barriga, garantido-lhe: "Você será recompensado."

Lori foi levada às pressas para a sala de cirurgia naquela mesma noite e retiraram da barriga dela todos os botões e grampos de cabelo que havia engolido para ser aceita. Um pouco mais tarde, na mesma noite, podia-se ver a jovem cantora que se apresentava no cabaré de papai nos braços do médico-cirurgião.

Três dias depois, Lori teve alta do hospital e, no instante em que chegou em casa, ocorreu um forte terremoto, nove pontos na escala Richter. A metade de Bucareste foi destruída com o terremoto. Quando Lori correu pelas escadas em busca de abrigo, todos os pontos cirúrgicos se abriram. Papai levou Lori de volta ao hospital e ela novamente foi levada às pressas para a sala de cirurgia, sendo refeitos os pontos rompidos.

No dia seguinte houve outro terremoto, mas, desta vez, Lori ficou parada no meio do quarto, como uma estátua, com o corpo inteiro sem se mover. O medo de que os pontos se rompessem era maior do que o medo do terremoto.

Lazar, o marido de Lutchi e cunhado de papai, havia sido mandado para um campo de trabalho para retirar neve dos trilhos dos trens, fora de Bucareste. Ali adoeceu de uma pneumonia muito forte e quase morreu, se não fosse o irmão mais novo de mamãe, Marco, que era dentista e "servia" no mesmo campo de trabalho. Marco cuidou de Lazar com dedicação e lhe deu um antibiótico de seu estoque de dentista. E assim Lazar, que quase ultrapassou o umbral da vida, foi salvo.

Em troca de lhe salvar a vida, Marco, o irmão mais novo de minha mãe, quis arranjar para a irmã um casamento judaico, como deve ser. Mamãe já tinha trinta e dois anos, uma solteirona, e Lazar disse que tinha um cunhado, um pouco trapalhão, mas era solteiro, com trinta e quatro anos, e tinha um cinema próprio. É óbvio que não se deu ao trabalho de mencionar a senhora Dorman, a amante de papai, ainda mais por ela ser cristã.

Marco insinuou a Lazar que dispunha de um respeitável dote garantido, e papai concordou em se encontrar com a nova pretendente. Naquela época, ele estava irritado com a senhora Dorman, que não estava concordando em abandonar o marido esclerosado e se casar com ele, apesar de saber que sua mãe, suas irmãs e seus cunhados se oporiam enfaticamente ao seu casamento com uma não-judia.

Mamãe era uma mulher magra e esbelta, muito bem vestida e culta, técnica em contabilidade. Ela causou boa impressão à família de papai, apesar de não terem, na verdade, gostado dela.

"É uma asquenazita esnobe", disseram a papai, "não uma mulher quente como nós, sefaraditas, mas não há dúvida de que é inteligente e culta, e, a julgar pela roupa, nota-se que é uma moça de recursos". E papai concordou em entrar no dossel nupcial com Bianca.

Eles se casaram sem muito entusiasmo um pelo outro, e mamãe começou imediatamente a dirigir o cinema – organizar as finanças. Ela exigiu ordem e determinou que nenhum dos vários e pobres amigos de papai entraria sem comprar ingresso pelo preço integral. "Aqui não tem desconto", argumentava.

Papai empregava toda a sua família e seus amigos no cinema. Ele estava habituado a fazer o bem para as pessoas. Assim, quando chegou a Israel, continuou a cuidar e a se preocupar com todos, só que não se lembrou que não tinha mais cinema.

Então, em Israel, papai se sustentava vendendo café.

Ficava dando voltas pela cidade baixa com uma bandeja cônica de três andares e vendia café romeno forte, com um aroma que perfumava todo Wadi Salib. Ele comprava o café somente com os irmãos árabes Nissness; enquanto moíam os grãos de café, nos serviam *baklawa* ou pistaches, até que o café fosse empacotado em pequenos saquinhos de papel marrom.

O processo de preparação do café romeno era feito de uma forma muito calculada e precisa. Numa pequena cafeteira media-se a água e se acrescentavam duas colherinhas cheias de açúcar. Na água, medida com exatidão, acrescentava-se uma colherinha cheia de café para cada copo e acendia-se o fogareiro. Só alguns minutos depois é que o café afundava na água, e então era preciso misturar cuidadosamente para não deixar subir o café grudento do fundo e para que não se misturasse com o líquido negro.

Mamãe, que odiava o desperdício de papai com as colherinhas cheias de café, pelo seu paladar e pelo nosso bolso, ficava espreitando e, se ele saísse por um segundo da cozinha, ela corria para a cafeteira e conseguia salvar algumas colherinhas de café, devolvendo-as aos saquinhos de papel marrom, antes que se dissolvessem na água fervente. Nem sempre ela conseguia, pois quando o olho apurado de papai percebia o nível baixo do café, acrescentava mais uma colher cheia, além da quantidade que havia sido devolvida ao saquinho marrom, para irritar mamãe e talvez também para castigá-la.

Mamãe gritava com ele, dizendo que isso era por conta do dote das meninas, mas nós sempre soubemos que, se dependesse do nosso pai, jamais teríamos um dote. E não nos importava. Antes de tudo, não tínhamos idéia do que era um dote e do que, enfim, estávamos perdendo, e, fora isso, papai sempre nos conquistava para tomarmos partido dele nas batalhas que travava com mamãe. O que, afinal, ele desejava? Desfrutar a vida aqui e agora, enquanto mamãe ficava o tempo todo pensando no futuro das filhas. Meu pai tinha a natureza de uma pessoa feliz e minha mãe, de uma pessoa calculista.

No sábado à noite íamos ao cinema. Todo sábado íamos, a família toda, ao cinema.

Essa era a única coisa que mamãe e papai tinham em comum. O grande amor por filmes. E sempre nos levavam com eles, para que assimilássemos a cultura cinematográfica.

Quando o filme *Os dez mandamentos* chegou a Israel, mamãe imaginou que ela poderia fazer, com esse filme, o negócio do ano. Foi e comprou vinte ingressos, uma semana antes da estréia, e quando chegou o dia tão esperado, com uma fila imensa que dava voltas no guichê do cinema, sem qualquer possibilidade de achar ingresso, mamãe vendeu os seus por um preço exorbitante. Em resumo, na Terra de Israel, sem saber o idioma, em vez de ser dona de cinema, mamãe passou a ser cambista de cinema. Ficamos tão orgulhosos dela, até mesmo papai. Lamentamos, é óbvio, por não termos comprado cinqüenta ingressos para vender, pois foi uma multidão que ficou lá reunida no cinema sem poder entrar.

Vimos três vezes o filme *Oklahoma*. Mas na primeira vez não aproveitamos nada. O filme *Oklahoma* foi exibido no cinema Tamar, lá no alto, no bairro de Hadar, perto do Carmel e muito longe de Stanton, que ficava no fundo da cidade baixa de Haifa. Depois de papai, Fila e eu escalarmos e subirmos toda a encosta, chegando ofegantes e pálidos ao cinema Tamar, papai se deu conta de que só tinha dinheiro para dois ingressos, e não mais que isso, pois o filme tinha a duração de três horas e o preço aumentou proporcionalmente. As súplicas de papai ao encarregado dos ingressos, dizendo que vínhamos de longe, que ele não tinha mais dinheiro e que não poderia deixar duas meninas pequenas entrarem sozinhas no cinema, de nada adiantaram. O encarregado-coração-de-pedra não cedia, e minha irmã e eu entramos sozinhas, deixando papai do lado de fora esperando. No intervalo corremos até ele, e com súplicas e choro tentamos convencer o encarregado para que deixasse papai entrar pelo menos agora, pois já havia sido bastante castigado perdendo a metade do filme, além de ter ficado do lado de fora durante uma hora e meia. E o encarregado não cedia. Com certeza era nazista. Papai esperou do lado de fora por mais uma hora e meia, e nós, com amargura no coração por causa de papai, não usufruímos do filme absolutamente nada. Quando saímos, desejamos ao encarregado que ele fosse enterrado no escuro túmulo do Hitler. Dissemos em voz alta, para que escutasse!

Na quinta-feira, mamãe nos deixou na banheira por duas horas inteiras. Como se quanto mais você permanecesse na água, mais a sujeira sairia por completo.

"Amanhã teremos uma visita importante", mamãe nos explicou enquanto adormecíamos na água, como de costume. "Ionesko, o famoso dramaturgo, virá nos visitar."

"O que é dramaturgo famoso?", perguntei a mamãe. Nem mesmo Iosefa, que sabia tudo, soube me responder.

"É alguém que escreve peças de teatro", mamãe explicou. E eu não havia entendido como é possível escrever peças de teatro. Pois teatro se vê, como se vêem filmes. Não é um livro que se pode ler.

"Por que Ionesko virá aqui?", minha irmã perguntou a mamãe. Minha irmã era sempre objetiva.

"Porque ele é amigo de *tanti* Mari e virá visitá-la."

"E ele vai morar com ela aqui?", minha irmã prosseguiu com objetividade e ao mesmo tempo com medo, sabendo que já estava apertado na casa de Lutchi.

"Não. Ele é turista. Não é imigrante. Virá só para uma visita", mamãe respondeu, deixando-nos na água por mais tempo do que devia.

No dia seguinte, a visita importante chegou. Ele era tão importante, que *tanti* Lutchi escancarou o seu aposento vermelho, com todas as suas cadeiras, e serviu uma bela mesa.

Tanti Mari era tia de meu pai, Lutchi e Vida. Quando imigrou a Israel, para acabar seus dias perto dos sobrinhos, ficou morando na pequena cozinha, e quando Dori, o filho mais novo de Lutchi, se alistou na Marinha, ela também passou para o maravilhoso quarto de frente para a varanda. Por ser uma velha e por ser culta, precisava de um quarto só para ela.

Antes da Segunda Guerra Mundial, *tanti* Mari havia sido professora de francês em Paris e lá conheceu o marido cristão que passou a ser, após algum tempo, cônsul da França na Tunísia. Nasceu-lhes uma filha chamada Odette, e *tanti* Mari continuou dando aulas na Tunísia, para as crianças da colônia francesa. Tempos depois, apaixonou-se perdidamente por um oficial tunisiano e ficava com ele mais tempo do que convinha à mulher do cônsul. Quando o marido descobriu a traição, divorciou-se dela e voltou com Odette, a filha pequena, a Paris. *Tanti* Mari, então, viajou à Romênia, arrasada, sem a filha que lhe havia sido arrancada definitivamente, e conseguiu um respeitável cargo em Bucareste, como diretora da escola francesa para moças romenas aristocratas. Ela retomou o sobrenome da sua família de antes do casamento – Frank – e, ao eclodir a Segunda Guerra Mundial, passou a pronunciar seu sobrenome com tonicidade na última sílaba, e assim obteve um nome com um som cristão e pôde continuar a dirigir a escola para moças cristãs, apesar da guerra. Conheceu Eugene Ionesko na escola em que trabalhava. Ele ensinava Literatura. Quando se aposentou, imigrou a Israel para ficar com a única família que lhe restava, os sobrinhos Mosco, Lutchi e Vida. Ela assumiu a tarefa de ensinar francês às princesas da dinastia Frank, isto é, Iosefa e eu, pois, segundo ela, o francês era o único idioma universal que toda pessoa culta deveria saber para poder se virar no mundo. Ela decidiu investir em nós sabedoria e conhecimento, pois éramos as últimas da famosa linhagem Frank. *Tanti* Mari nos contou que o significado do nome Frank vinha do espanhol: generosidade, liberdade. Ela também contou que nossa família constava entre as que mais tinham suas raízes na Espanha. Segundo ela, com a expulsão dos judeus da Espanha, nossa família se dirigiu à Turquia e de lá se transferiu, com o tempo, à Bulgária e à Romênia.

Quando atinamos que papai era o último Frank da linhagem, uma vez que mamãe não sabia fazer meninos, minha irmã e eu ficamos com terríveis sentimentos de culpa por sermos as responsáveis pela ruptura da aristocrática linhagem Frank, e, com isso, concordei em estudar francês. Iosefa concordou porque queria aprender qualquer coisa.

Mamãe proibiu que nos vestíssemos de qualquer maneira, porque íamos à aula particular de francês e isso implicava se vestir de forma adequada.

Então, nos vestíamos de forma adequada com as roupas que tínhamos, e até lavávamos o rosto, e atravessávamos o corredor que ia do nosso quarto ao quarto de *tanti* Mari.

Bonjour, comment ça va e *Frère Jacques* foi a nossa cota durante umas dez aulas, até que me rebelei e me recusei a continuar. Privar-me de uma hora inteira de divertimento entre as três de que dispúnhamos depois do almoço, das quatro às sete horas, e sentir o cheiro forte da velhice de *tanti* Mari para estudar um conteúdo que não faz parte do currículo obrigatório era demais para mim. Além disso, comentei com minha irmã que em todos os filmes que víamos sempre se falava inglês, e não francês, e isso era um sinal de que o francês não era um idioma tão importante como *tanti* Mari afirmava, e as aulas foram canceladas. Não sei por que *tanti* Mari não continuou a dar aulas só para minha irmã, que queria aprender qualquer coisa. Certamente ela sentia que com Iosefa sozinha era uma aula particular, e com nós duas talvez tivesse a sensação de turma, de que *tanti* Mari tinha saudades.

Minha irmã nunca me perdoou pelo fato de que, por minha causa, não sabia francês; além disso, por causa da nossa pobreza, não aprendeu a tocar piano e, por causa das encostas de Haifa, não sabia andar de bicicleta.

E, então, Ionesko chegou a Israel para buscar inspiração no nosso pequeníssimo país. Como dramaturgo famoso, estava certo de que o país dos judeus, depois do Holocausto, seria um excelente ponto de inspiração para uma nova peça e de que as novas paisagens o levariam a criar peças diferentes dos conteúdos aos quais estava habituado na Europa.

De fato, papai mostrou a Ionesko toda a cidade de Haifa, sem pressa, durante cinco dias, em excursões a pé. Ionesko viu a paisagem que se estendia do Monte Carmel desde o alto, descendo e beijando o mar. A cúpula de ouro do Templo Bahai, que era a fonte do orgulho da cidade. Desceu com ele por todas as escadas e encostas que conduziam do Carmel até a cidade baixa, com o forte cheiro de café pairando no ar (obviamente era o café de meu pai). Andou com ele entre os operários da cidade baixa, numa noite cheia de cores, idiomas e pessoas. Árabe, romeno, iídiche, polonês e turco predominavam na rua. E também marroquino, muito marroquino.

E todos eram amigos, todos iam aos mesmos lugares apesar de não terem vindo do mesmo lugar e, o mais importante, todos eram judeus – bem, fora os árabes que, entre nós, também eram considerados judeus.

Ionesko ficou muito interessado em ver como um povo que havia perdido seis milhões de seus filhos conseguia construir um país, é verdade que cercado de inimigos, mas, afinal, uma pátria. E papai contou a ele que não lamentava, nem por um só instante, ter abandonado as "panelas de carne" da Romênia, o cinema que os comunistas lhe tomaram, só para que suas filhas crescessem como judias orgulhosas na Terra de Israel, e não importava que, por enquanto, ele tivesse que vender café para se sustentar.

Ao final de cinco dias Ionesko comunicou a papai que já dispunha de material suficiente para escrever dez peças, se quisesse.

De tudo o que Ionesko havia visto, assimilado, cheirado e sentido em Israel, escreveu, no final das contas, a peça *As cadeiras*, sobre o quarto de tia Lutchi e o marido, o barbeiro Lazar. O quarto é descrito com minúcias, a cama de casal no canto do aposento, a mesa comprida e pesada, com uns três metros de comprimento, rodeada de cadeiras e mais cadeiras, tantas quantas uma mesa tão grande pode conter. E como se essas cadeiras não bastassem, havia também, ao longo de toda a parede ocidental, uma fileira de cadeiras juntinhas, do mesmo tipo. Eram cadeiras pesadas, ornamentadas nas extremidades com aberturas redondas feitas à mão, é óbvio, e, o mais importante, com estofado de veludo vermelho. As cadeiras de *tanti* Lutchi e de Lazar, o marido, se enfileiravam como soldados, e foi sobre isso que Ionesko escreveu sua peça. A peça conta a respeito de um casal de velhos que sonham acordados que muitos convidados virão à sua casa, e eles ficam só esperando por esse momento. Esperam e imaginam como será, e enquanto isso ficam arrumando as fileiras de cadeiras como se fossem soldados, na expectativa de que cheguem os respeitáveis convidados.

O cenário da peça *As cadeiras* ficava na rua Stanton, número quarenta, ou pelo menos é a história que circulava em nossa casa com o maior orgulho.

E meu pai, que moeu as pernas durante cinco dias para proporcionar inspiração a Ionesko, ficou por muito tempo esperando até que a peça saísse, para descobrir que não havia recebido nem mesmo um crédito em "agradecimentos".

Mercedes abriu a porta com um largo sorriso, disse "Olá" e ele a beijou na face direita, depois na esquerda, e novamente na direita. Ela deu um pulo, perturbada, sem entender por que tinha que ficar se beijando com estranhos, e o homem explicou que na Espanha se cumprimenta dando três beijinhos. Isso lhe pareceu bastante estranho, e ele continuou explicando que na França era costume dar dois beijinhos, um em cada face. Na Espanha, três.

Na noite em que a apresentaram a Jorge, quando ele também se aproximou dela e deu três beijinhos, ela perguntou ao homem se deveria beijar todos os homens de Barcelona, e ele disse que esse era o costume e que isso lhe parecia um costume muito mais bonito do que o frouxo aperto de mão dos israelenses, como se estivessem fazendo um favor. Ela concordou, lembrando-se do seu vigoroso aperto de mão quando foram apresentados e do quanto isso a havia impressionado.

"Então por que você não me deu três beijinhos quando nos apresentaram?", ela perguntou rindo.

"Pode acreditar que senti vontade."

"E por que não o fez?", ela teimou, rindo.

"Porque teria levado uma bofetada."

Fora os beijinhos, elas não conseguiram trocar nenhuma palavra. Mercedes, como todo espanhol médio, não falava nenhum idioma além de espanhol e catalão, e John não havia lhe ensinado espanhol suficiente para formular uma frase inteira. Mercedes parecia ser gentil, era bonita e estava vestida de forma que lhe agradava, calça jeans, uma blusa azul-celeste de abotoar e sapatos de salto alto.

O homem colocou a mala dela no seu pequeníssimo quarto. O quarto de Mercedes era muito mais espaçoso e a sala, agradável. O apartamento era muito limpo e somente depois de aprender algumas frases seguidas em espanhol e de ficar com eles no apartamento para o almoço, viu que a eficiente Mercedes voltava ao meio-dia do trabalho com compras, colocava frango no forno, lavava o chão e servia ao namorado, Jorge, um copo de uísque, diretamente na poltrona em que ele estava sentado vendo esporte na televisão. Após o almoço, Mercedes lavava a louça com rapidez, arrumava a cozinha e, se Jorge também estivesse disposto ao meio-dia, entrava com ele no quarto, gemia um pouco e se apressava de volta ao trabalho para abrir o escritório – de quatro e meia da tarde até oito e meia da noite. Ela jamais entendeu de onde vinha tanta força a essa simpática moça para fazer tudo sozinha, enquanto o namorado ficava vendo esporte na televisão, e ela, ainda por cima, conseguia sorrir para ele. Às vezes, derrubava meia garrafa de uísque só no intervalo do meio-dia, e então, quando empurrava Mercedes ao quarto, ela a ouvia gemer, mas não era de desejo.

Ela queria desfazer a mala que havia trazido com a bagagem para três meses, mas o homem disse que seus pais estavam loucos para conhecê-la e estavam esperando por eles desde o instante em que ela havia aterrissado. Ela se sentiu culpada por terem se atrasado para comprar seus óculos.

Estava faminta. Uma fome de três meses de avareza com as compras de comida para economizar e poder fazer a desejada viagem para o país de seu predestinado.

Eles chegaram a um prédio suntuoso, entraram no estacionamento subterrâneo e ele parou o carro ao lado de um BMW novo. "Esta é a minha vaga", ele explicou, "e este é o carro de meu pai". Quando desceram do carro e entraram no elevador do estacionamento, ela se sentiu dentro de um filme.

O homem abriu a porta no décimo andar, exclamou "Mami" e disse em francês que haviam chegado. Ela entendeu porque as palavras eram parecidas com romeno, que ela sabia, de ouvir em casa. Entraram num hall quadrado; em um dos lados havia espelhos de parede a parede, com colunas de mármore verde, e no outro lado, portas de madeira brilhante com entalhes de flores. Uma cadeira estofada de veludo vermelho ficava junto à entrada, e o homem deixou sobre ela a sua pasta. O hall era do tamanho da sala do apartamento dos pais dela.

Uma mulher gordinha com olhos azuis e singelos se aproximou deles sorrindo e lhe deu três beijinhos; logo depois dela surgiu um homem, de muito boa aparência, com olhos azuis e penetrantes, com uma covinha no queixo como o ator Kirk Douglas, e apertou a sua mão. Ele lhe apresentou os pais, Luna e Alberto, e eles ficaram ali parados, no luxuoso hall, um pouco constrangidos. O pai falava hebraico fluente e explicou que havia aprendido o idioma desde garoto no movimento sionista Hashomer Hatzair, na Bulgária. Com a mãe ela falou um inglês precário, mas o pai e o homem se apressaram para fazer a tradução simultânea.

Quando entraram na sala, ela perdeu a respiração. A sala era enorme, com dois ambientes separados para sentar, um com televisão, e era lá que ficavam a maior parte do tempo, e outro recanto de veludo vermelho de parede a parede, para visitas. A sala de jantar, que ficava próxima ao salão, continha uma mesa comprida para dezesseis pessoas, para garantir que haveria bastante lugar para quem quer que viesse comer. Ela se lembrou que na casa de seus pais, quando recebiam todos os tios na noite de *Pessach*, precisavam invadir o apartamento dos vizinhos para acomodar dezesseis pessoas. A mesa estava posta como para uma refeição festiva. Uma toalha branca com flores azuladas e delicadas, e guardanapos combinando com a toalha, sobre os quais estavam colocados os talheres. Um prato grande e, sobre ele, um prato menor, com dois tipos de copos ao lado de cada prato, para água e para vinho. Uma travessa de aço inoxidável com um guardanapo branco contendo pequenas fatias de baguete, e pequenas tigelas com verduras cortadas, pimenta vermelha, tomates, pepinos, cebola, e mais uma travessa com cubos de pão frito.

Ela observou o lustre de cristal que descia do teto da sala de jantar, os belos quadros pendurados na parede, a grande estátua de cerâmica que ficava no chão de parquete, no canto, e os maravilhosos objetos sobre o aparador, e ficou imaginando se o presente que havia trazido não ficaria humilhado diante daquele luxo. Apesar disso, retirou da pasta que havia carregado junto ao peito durante toda a viagem uma estatueta de cerâmica representando uma mulher de azul, que havia comprado com a irmã na rua Dizengoff. As duas, ao mesmo tempo, escolheram a estatueta tão especial no instante em que a viram. Era uma mulher com a cabeça virada para cima, de perfil, com a mão levantada, indicando repúdio ou, então, súplica. O corpo era delicado e a sua postura parecia dizer “Estou aqui, queiram vocês ou não". Uma mulher amável, cheia de vigor, e os olhos de barro indicavam piedade.

A estatueta agradou aos pais dele, e a mãe a colocou num lugar privilegiado no aparador da sala de jantar. Ela se sentiu aceita, e eles se sentaram para o almoço. A mãe se sentou à cabeceira da mesa, que era seu lugar fixo, o marido, à sua esquerda, o filho, à direita, e ela, ao lado dele.

Laura, a empregada, trouxe uma grande sopeira de aço inoxidável e a colocou perto de Luna, à cabeceira da mesa. Luna serviu a sopa, primeiro à visitante, depois para si mesma, ao filho e ao marido.

Ela se espantou por ser a primeira a receber o prato, pois estava acostumada em casa aos homens serem servidos antes e somente depois as mulheres. Imaginou que talvez fosse assim por ela ser visita, mas à noite, quando chegou toda a família para jantar, constatou que servir antes às mulheres e depois aos homens era um hábito permanente, e essa lhe pareceu a ordem correta.

A entrada foi sopa de gaspacho, com uma explicação detalhada de Luna, que esse é um prato espanhol, uma sopa fria feita com todas as verduras que estão sobre a mesa, com água e cubos de gelo. A sopa de cor laranja lhe pareceu especialmente refrescante, a começar pelo aspecto, e foram ainda acrescentadas as demais verduras e os cubos de pão frito. Ela observava o homem para ver como ele fazia, e repetia cada gesto. Essas foram as explícitas recomendações que havia recebido da irmã, no caminho ao aeroporto. Para não passar vergonha, ela precisava observar o que os outros faziam e imitá-los. Colocar o guardanapo sobre os joelhos, pegar pouca quantidade com a colher, não tão pouco, para não ofender, nem demais, para não parecer uma esfomeada, verificar que talheres eles usavam em cada prato e, obviamente, não confundir o copo de vinho com o copo de água.

A sopa estava especialmente saborosa, mas quando a mãe dele perguntou se ela queria mais, ficou envergonhada e disse que não. Depois, retroativamente, alegrou-se por não ter pedido mais, porque ficou plenamente satisfeita já ao terminar o segundo prato, que era salada russa de verduras cozidas, com maionese e pedaços de pepino em conserva picantes. Laura recolheu os pratos de sopa de cada um e entregou à dona da casa a travessa com a salada russa, que novamente foi servida antes a ela, depois para a própria dona da casa e, por fim, ao filho e ao marido.

A salada estava mais saborosa do que aquela que sua mãe fazia em casa com restos de verduras cozidas da sopa de galinha. Era óbvio que ali as verduras haviam sido cozidas especialmente para a salada.

"Essa é uma salada espanhola?", perguntou à mãe dele mostrando-se maravilhada, e Luna explicou que ela cozinhava comida variada, de receitas que foi reunindo com o tempo. "Esta é uma salada que aprendi com Ruth, minha amiga", disse, "e a maionese, eu mesma faço". E ela não entendeu como é possível alguém fazer maionese em casa e não comprar um frasco, na loja.

Novamente, a salada com maionese que havia comido com o pedacinho de baguete estava especialmente saborosa, e ela já não estava irritada com o fato de que não concordaram que ele fosse morar com ela num apartamento separado.

Sem perguntar nada, o pai dele lhe serviu vinho e também a todos, e eles brindaram com um "À vida". O homem lhe perguntou se o vinho estava ao seu gosto, e ela respondeu que sim, muito, apesar de não ter nenhuma noção de como saber se o vinho estava bom ou não.

Mais uma vez Laura retirou os pratos sujos de salada, e ela ficou sem saber se deveria se levantar para ajudá-la, ou, quem sabe, levantar-se da mesa não era educado. E como o homem também não se levantou, ela o imitou. Depois ficou pensando consigo mesma que deveria ter se levantado e ajudado, e durante o jantar acabou se levantando para esvaziar a mesa, apesar da empregada, o que veio a salvar a sua reputação aos olhos dos pais dele.

De cada porção que Luna pegava, ela deixava também para Laura, que comia sozinha na cozinha.

E novamente Laura trouxe numa longa travessa de aço inoxidável uma carne tenra de bezerro, que foi cortada pelo pai e servida pela mãe, e mais duas travessas menores com ervilhas e batatas com cebola. O homem serviu o prato dela com tudo de bom, como se temesse que ela poderia se envergonhar de pegar sozinha, e a carne de bezerro foi a mais tenra que ela havia comido na vida.

Ela tratou de mastigar bem, como sua irmã havia orientado, e o mais importante, mais importante mesmo, era não esquecer de mastigar com a boca fechada. A cada pedaço que levava à boca, precisava se esforçar para não esquecer de fechar a boca. É muito difícil mastigar com a boca fechada. Ela não pronunciava nenhuma palavra, temendo que, se abrisse a boca, pudesse esquecer de fechá-la enquanto mastigava. Além disso, sentia vergonha de dizer alguma coisa, e ficava em silêncio, prestando atenção aos mais sábios do que ela. Tudo isso de acordo com as explícitas instruções que havia recebido da irmã mais velha, de como não passar vergonha no exterior, na casa de uma família judia burguesa, uma das colunas fundamentais da comunidade de Barcelona.

"Você quer acrescentar alho?", a mãe lhe interrompeu o exercício da boca fechada.

"Não, por quê?", ela deixou escapar com dificuldade.

“Porque eu cozinho sem alho. Alberto não gosta de alho, mas eu sei que os romenos comem com muito alho.”

“Os búlgaros também”, acrescentou o pai. “Só eu odeio alho.”

“Sua mãe cozinha com alho?”, Luna lhe perguntou.

“Sim. Com muito alho”, ela respondeu. “Minha mãe começa o dia comendo três dentes de alho. É por causa da pressão alta.”

“O alho é saudável”, Luna disse, “e bom para a pressão arterial. Eu, pessoalmente, também gosto de alho”. Depois, às escondidas, com o passar dos anos, ela foi aprendendo a acrescentar um pouquinho de alho sem que o marido percebesse, pois, afinal, é impossível comer uma boa carne sem alho. “Alberto é diabético, e por isso toda a nossa comida é sem açúcar”, acrescentou a mãe, introduzindo-a nos segredos da família.

Acabaram de comer o prato principal enquanto comentavam que o preço das barras de ouro havia baixado e que não era momento para vender o que tinham, e ela permanecia calada, ouvindo atentamente o francês, a tradução do pai dele para o hebraico, e a do homem para o inglês, enquanto cada frase dita era imediatamente traduzida especialmente para ela. Depois que Laura retirou os pratos, e ela quase já ia se levantando da mesa, pois já estavam sentados por quarenta minutos e haviam comido três pratos, eis que a empregada voltou, desta vez com uma travessa de salada de alface e também com pratos limpos para cada um. Ela pensou que Laura talvez tivesse esquecido de servir a alface com a carne e, agora que havia se lembrado, trazia a salada à mesa. Mas era óbvio que uma empregada tão eficiente como Laura jamais esqueceria de servir alguma coisa na hora certa. Luna, que havia percebido o espanto dela, explicou que em Paris se costumava comer a salada de alface só depois do prato principal, para uma boa digestão. Ela pegou um pouco de alface, que obviamente estava muito boa, mas teve vergonha de perguntar que molho Luna havia usado para deixar a alface tão deliciosa, e quando estava certa de que desta vez eles, de fato, haviam acabado de comer, e Laura havia retirado a travessa de salada, a empregada voltou com uma tábua com todos os tipos de queijos que existem. Tipos diferentes de queijo amarelo, queijo camembert, queijo de cabra de diversas espécies. Havia todos os queijos, menos o queijo amarelo comum. Desta vez não provou nada dos queijos, pois estava satisfeita para os próximos dois anos, e mesmo antes de saber que havia ainda a sobremesa, e antes de saber que era servido café com bolo, e antes de saber que também à noite o processo iria se repetir – uma refeição com duração de mais de uma hora, e quando havia convidados de quase duas horas, com entrada, primeiro prato, prato principal, salada de alface, queijos, frutas e café com bolo. Em toda a sua vida até aquele momento, não havia comido tanto na mesma refeição, em que cada prato era uma verdadeira iguaria. E, ainda por cima, duas vezes no mesmo dia.

Não admira que a mãe dele fosse gordinha.

Passaram-se mais vinte minutos até que foi dado o sinal e o homem se levantou da mesa dizendo "muito obrigado" em francês, e ela se apressou em se levantar antes que trouxessem mais uma sobremesa que fosse boa para a digestão e disse "muito obrigada" em espanhol. Ela agradeceu, não porque o homem havia agradecido, mas porque foi assim que lhe ensinaram, desta vez, os pais dela, a agradecer sempre ao se levantar da mesa, pela comida que prepararam para você.

Ele a levou para o interior da casa e lhe mostrou os enormes quartos, e até mesmo o quarto de Laura, que ficava próximo à cozinha e era maior do que todos os quartos que já havia visto até então.

"Vocês não têm uma varanda na casa?", ela perguntou.

"É óbvio que sim", ele se apressou em responder, e a conduziu à varanda de quinze metros de comprimento, que começava na sala de jantar e terminava na sala de estar com o estofado de veludo vermelho.

Ao longo da varanda havia jardineiras com gerânios floridos, de todas as cores.

Em frente à varanda havia um prédio de escritórios, alto e luxuoso, sem varandas. Quando ela olhou para baixo, do décimo andar, viu cafeterias e bares abarrotados de gente, e ainda outras pessoas paradas numa fila sobre a calçada, esperando a vez para entrar no bar.

"Vocês não ficam na varanda?", espantou-se, como uma verdadeira apaixonada-por-varandas.

"Na verdade, não", ele respondeu.

"Que pena", ela disse. "Vocês estão perdendo o contato com o lado de fora."

Ele a arrastou da varanda para lhe mostrar o seu enorme quarto, e quando ela viu o banheiro junto do quarto, um banheiro só para ele, com uma banheira só para ele, onde tomava banho todas as manhãs, lembrou-se da lavagem semanal que compartilhava com a irmã.

Imunda quinta-feira

Mamãe estava na varanda nos chamando aos brados em romeno para irmos para casa comer. Sempre nos chamava para ir comer, sem levar em conta por completo se estávamos muito ocupadas no meio de uma brincadeira importante, ou nos escondendo em algum esconderijo, até que pudéssemos sair dele. Não importava se no mesmo instante havia chegado o carro de querosene e não tínhamos sentido o seu cheiro o bastante. Não importava se o motorista do carro de gelo estava cortando seu bloco de gelo pela metade, ou um quarto, e vendendo a quem pedisse. Não importava se havíamos pegado carona numa carroça, sentadas atrás até que o carroceiro nos descobrisse e nos expulsasse com seu chicote.

Mamãe nos chamava, e só para que parasse de bradar no seu romeno, corríamos para casa apesar de sabermos que era quinta-feira.

Sentíamos vergonha de falar em romeno, sentíamos vergonha que os outros soubessem que sabíamos romeno e sentíamos ainda mais vergonha de sermos romenas. Sempre que nos perguntavam, afirmávamos que nosso pai era sefaradita e, quando insistiam perguntando de que país, dizíamos apressadamente: da Romênia, mas é um romeno sefaradita. Fala ladino em casa.

E escondíamos o fato vergonhoso de que mamãe era romena asquenazita.

"Ufa, como eu odeio essa quinta-feira", eu disse à minha irmã enquanto subíamos as escadas para casa.

"Você não gosta de ficar limpa?", ela perguntou.

"Não", respondi imediatamente. "De qualquer maneira, amanhã me sujarei de novo, então, de que adianta?"

"Eu, ao contrário, gostaria de estar limpa o tempo todo", minha irmã respondeu. "Se eu pudesse, tomaria banho todos os dias."

"Ficou maluca?", respondi abalada. "Ninguém toma banho todos os dias. Nem os ricos."

"Tenho certeza de que na América tomam banho todos os dias", ela disse convicta. "E também trocam a roupa de baixo todos os dias."

"Não acredito", eu disse à minha irmã que sempre sabia tudo e pensava que existiam pessoas que tomavam banho todos os dias e que, nessa circunstância, também trocavam a roupa de baixo.

Entramos em casa pela pequena cozinha. Mamãe estava lá ocupada, preparando a polenta, e fez sinal para nós, visivelmente nervosa, para que nos sentássemos à mesa. Íamos para lá, quando vimos papai parado espiando da outra porta que levava ao quarto de *tanti* Lutchi. Quando nos viu, fez um sinal com o dedo para que nos calássemos e entrou discretamente no quarto, fechando atrás de si a porta, para que mamãe não ouvisse. Tinha uma grande toalha pendurada no ombro e estava com o cabelo molhado.

Aproximei-me dele e o cheirei, como um cão farejando alegremente o dono quando este chega em casa.

"Você esteve no banho turco", sussurrou-lhe Iosefa, e eu cheirei meu pai mais uma vez e lhe disse que estava com cheiro de rosas.

"Não contem para ela", papai pediu, enquanto escondia a toalha atrás da pilha de roupa de cama que ficava em cima da máquina de costura. "Vocês sabem que ela não gosta que eu desperdice dinheiro", e nós confirmamos com a cabeça que havíamos entendido e que estávamos dispostas a defendê-lo com toda dedicação.

Papai pediu que puséssemos a mesa e perguntou à mamãe aos berros, para que ela ouvisse, o que queria que ele fizesse.

"Pare de desperdiçar o dote das meninas", ela gritou da cozinha, sem mostrar nem mesmo a cabeça. "Estou sentido o seu cheiro de rosas daqui. Você esqueceu que pessoas com deficiência auditiva têm o sentido do olfato muito desenvolvido."

Eu trouxe quatro pratos e os coloquei sobre a mesa; minha irmã os retirou e foi até o armário para pegar uma toalha de cor laranja com estampas mais claras. Ela colocou a toalha sobre a mesa e papai perguntou por que estava colocando toalha naquele dia; minha irmã sorriu e disse que a toalha iria proteger as fotos de família que ficavam debaixo do vidro. Eu não entendi como uma toalha pode proteger as fotos, se elas já estão protegidas pelo vidro, mas não disse nada. Papai sorriu e acariciou a cabeça de Iosefa com tanto amor que eu a invejei pensando como minha irmã mais velha consegue sempre agradar a meu pai enquanto eu só lhe causo problemas.

Minha irmã arrumou os pratos e trouxe o jarro de flores com as anêmonas que havíamos colhido no sábado, colocando-o na mesa.

Mamãe saiu da cozinha segurando a panela de polenta e perguntou à minha irmã o motivo para as flores como se soubesse de antemão que não era possível que eu tivesse colocado um jarro de flores com anêmonas sobre a mesa. Minha irmã explicou que foi isso que ela havia visto num filme no sábado.

E papai acariciou a cabeça de minha irmã mais uma vez, satisfeito por ter uma filha que tem sonhos americanos como ele.

"Coma com a boca fechada e não mastigue fazendo barulho. Não é educado", disse-me minha irmã, a quem todos davam sempre atenção.

"Não mastigo a polenta. Eu engulo. Mas está muito quente", resmungo.

Ela está sempre me orientando. Ande reta. Levante o pescoço. Não diga insultos e não escarre. Não seja atrevida e não olhe para os adultos direto nos olhos. Eles não gostam. Meneie a cabeça em sinal de aprovação como se concordasse com eles, e depois faça o que você quiser.

"O que mais você observa nos filmes?", mamãe perguntou à minha irmã, enquanto servia com generosidade a polenta amarela que formava bolhas na panela. Colocava uma colher, e mais outra, até que o prato ficasse cheio até a borda e, por cima da massa amarela que ainda fervia, acrescentava nata ácida que se desfazia instantaneamente sobre os montes de polenta, penetrava dentro dela e era engolida como se nunca tivesse estado ali. Ela servia antes a Iosefa, e depois a mim, a mesma quantidade.

"E ao rico senhor", mamãe pergunta a papai, "o que é possível oferecer? Margarina ou queijo salgado?"

"Acabou a nata?", ele pergunta a mamãe lamentando seu destino.

"O que sobrou é para amanhã, para as meninas. Se você não desperdiçasse o dinheiro no seu banho turco, como se não tivéssemos chuveiro em casa, talvez pudéssemos comprar um jarro de nata por dia."

"Tome banho com água fria você", papai lhe diz. "Eu gosto da minha água quente."

"Sabemos do que você gosta", mamãe repreende papai. "Se você tivesse um trabalho fixo poderíamos providenciar um boiler."

"Como se com um boiler você fosse me permitir desperdiçar eletricidade para acendê-lo. Você não nos permite nem desperdiçar água", papai reclama e olha na nossa direção para receber de nós, as meninas, permissão para o desperdício do seu banho turco.

Observei o jarro de nata cheio até a metade e pensei comigo mesma que quando eu crescesse iria comprar para papai todos os jarros de nata que existissem no mundo. Só para ele.

O bonito jarro de vidro de nata parecia uma mulher na sua nudez. Como as refinarias que eram vistas da nossa varanda, ao longe. Nós as chamávamos de *lebeniot*, isto é, os jarros de iogurte de Haifa, e eu ficava espantada porque eram chamadas *lebeniot*, e não *shamanot*, jarros de nata. As pesadas garrafas de leite tinham também a forma de uma mulher bem talhada. Eram garrafas seladas com tampa de papel prateado grosso, e quando mamãe a retirava da garrafa tomava muito cuidado para não desperdiçar uma só gota que estivesse acumulada na parte superior da garrafa, como uma camada grossa e suspensa, com gosto de paraíso. No início, minha irmã e eu brigávamos para saber de quem era a vez de receber essa cobertura acumulada. Por fim acabei aceitando o arranjo lógico proposto por minha irmã. Nos dias pares da semana cabia a mim e nos dias ímpares, a ela. Lógico, porque assim era impossível esquecer. Eu só não havia me dado conta de que os dias pares se resumem sempre a três, e os ímpares, a quatro.

"Observo tudo nos filmes. A roupa que vestem, a maquiagem, os carros e, principalmente, as casas luxuosas em que vivem", minha irmã respondeu à pergunta de minha mãe.

Sussurrei ao seu ouvido que ela estava ofendendo papai e mamãe, pois nossa casa não era luxuosa porque não tínhamos dinheiro e, além disso, casas como essas só existiam na América.

Minha irmã tentou recompensar papai e mamãe pela ofensa que havia lhes causado e contou que a professora Chana havia escrito no seu caderno que ela era uma menina muito aplicada, responsável e organizada, e pediu que ela lesse a redação que havia escrito diante da turma inteira.

"Sobre o que você escreveu?", papai perguntou.

"Sobre o que quero ser quando eu crescer", respondeu minha irmã.

Papai perguntou à minha irmã se ela ainda queria ser escritora, e ela lhe disse que sim. "Uma escritora rica e famosa." Papai explicou que quem sonha geralmente consegue concretizar seu sonho, e especialmente porque não faltava imaginação à minha irmã.

"Uma menina muito aplicada. Comporta-se de forma irrepreensível e é um exemplo para sua turma", papai lê no caderno em voz alta e novamente acaricia a cabeça de minha irmã.

"É a quinta vez em meia hora", eu contava baixinho quantas vezes meu pai havia acariciado minha aplicada irmã.

"A professora não escreveu que você é responsável e organizada", eu disse à minha irmã. "Você só estava querendo se mostrar."

"Não estava me mostrando", minha irmã falou. "Ela disse isso."

Mamãe, que estava satisfeita com a observação da professora no caderno, disse-lhe que não precisava acabar toda a polenta.

"Então, eu também não", aproveitei direto a oportunidade e disse. "Hoje não nos deram no almoço bolinhos fritos de batata, e isso não é justo", tentei pensar em alguma coisa mais interessante do que a respeitável observação da professora no caderno.

"Por quê?", papai se aliou a mim. "A cozinheira Dina não foi hoje?"

"Não. Disseram-nos que a mãe dela havia morrido. Quando vocês vão morrer?", perguntei, e papai me disse que seria quando eles estivessem muito, muito velhos, e nós também já seríamos velhas, só que menos do que eles.

Então mamãe disse para entrarmos na banheira, e nós tiramos a roupa e entramos. Duas meninas com o cabelo cortado reto com franja, cabelo negro e cabelo castanho, olhos castanhos e tristes, e olhos verdes e risonhos. Joguei a roupa no chão; Iosefa dobrou bem a dela e a colocou sobre a cadeira de madeira no canto do banheiro, mesmo a roupa estando suja. Certamente para me provar que ela era responsável e organizada, e não estava só querendo se mostrar.

Eu odiava a quinta-feira – dia de limpeza – porque sabia que a sujeira não desaparecia, como mamãe sempre dizia a Mazal, a vizinha síria do andar de cima. Mazal, mãe de Tzila, Rochama e Linda, lavava o chão todos os dias e, após jogar bastante água, passava um pano em cada canto empoeirado. Depois ela torcia bem o trapo, tirando dele cada gota de água, ficava de quatro e enxugava o chão. Às sextas-feiras Mazal lavava o chão duas vezes, pela manhã e depois do almoço, para o shabat, o dia de descanso.

Mamãe censurava Mazal muitas vezes, perguntando por que ela era tão exigente com a limpeza do chão e por que diabos precisa ficar de quatro para enxugar.

"Até parece que vocês comem no chão", mamãe dizia a Mazal.

E Mazal dizia que ela também fazia isso na Síria. Mamãe nunca chegou a entender a lógica, isto é, a falta de lógica da limpeza diária.

Mazal discutia com mamãe, dizendo que ela também limpava casas todos os dias, e mamãe respondia que com ela era sustento, e não hobby, como com Mazal.

Então ficávamos esperando nuas, e mamãe entrava com uma grande bacia com água fervente que havia esquentado no *Primus*, entornava a água quente na banheira e acrescentava água fria. Minha irmã testava a temperatura da água com o dedo mindinho, e mamãe enfiava a mão toda e fechava a torneira de água fria. Entrávamos na água e afundávamos, fazendo ruídos de navio, papai colocava na banheira os barquinhos de papel que havia feito para nós e em seguida saía para colocar a casa toda em cima das camas.

As cadeiras em cima da mesa e tudo o que vivia solto pela casa sobre as camas: os sapatos e o vaso de flores; depois ele dobrava o tapete que havia batido de manhã e levava até a varanda, colocando-o sobre o parapeito. Tudo isso porque quinta-feira era o grande dia de limpeza das meninas, de mamãe, da roupa semanal para lavar e do chão.

Minha irmã me lembrava que naquele dia devíamos nos ensaboar bem, até mesmo atrás das orelhas, pois Fima, a prima de mamãe, iria nos examinar no dia seguinte, e cheguei a raspar a sujeira debaixo das unhas.

Quando ela retirou a cabeça de dentro da água, eu lhe perguntei preocupada se papai e mamãe já não estavam muito velhos. Fila me explicou que vovó Vavika era muito velha, com setenta anos, e que papai e mamãe tinham só quarenta e cinco.

"Então, quanto tempo eles ainda vão viver?", perguntei, e minha irmã me perguntou quanto era setenta menos quarenta.

"Não sei, ainda estou na primeira série", fiquei irritada com minha irmã por ela não entender que na primeira série não se ensinava quanto era setenta menos quarenta.

"Além disso, eu já lhe disse que papai e mamãe não são nossos verdadeiros pais", disse minha irmã que havia visto Deus e que obviamente sabia fazer contas.

"Então, quem são?", perguntei.

Minha irmã me explicou pela centésima vez que Bianca não conseguia engravidar, e a prova disso era que ela mesma nos havia contado que nos teve numa idade relativamente tardia, e eu perguntei "o que é relativamente", e Fila, que era chamada de Fila porque eu não conseguia pronunciar uma palavra tão longa como Iosefa, disse que "relativamente" era um homem chamado Einstein, e eu não consegui entender qual a relação dele com o fato de Bianca não conseguir engravidar, mas não perguntei mais nada para não parecer uma boba. Fila disse que, pelo visto, como Bianca não conseguia engravidar, Mosco, que queria agradar a mamãe e lhe dar filhos, nos raptou dos nossos verdadeiros pais.

"Então, quem são nossos verdadeiros pais?", perguntei outra vez à minha irmã, e ela disse que certamente nosso pai era capitão de navio e estava nos procurando no mundo inteiro. "E mamãe?", perguntei.

"Nossa verdadeira mãe está sentada junto à janela do nosso castelo em algum lugar da cinzenta Inglaterra, cercada de relva, chorando pelas filhas que foram raptadas, aguardando que o marido, capitão de navio, lhe devolva as meninas queridas", minha irmã respondeu.

Eu lhe disse que achava uma estupidez de nossa verdadeira mãe ficar simplesmente sentada junto à janela chorando e não fazer nada para nos procurar. Fato é que, no filme *Que será, será*, Doris Day, a mãe, procurou junto com o marido pelo filho seqüestrado, até que o encontrou.

Ficamos cantarolando a melodia do filme e cantando as palavras estrangeiras de *Que será, será*, o futuro é incerto e o que será, será, e fomos adormecendo, aos poucos, na água.

Em seguida mamãe entrava no banheiro, nos retirava da água, e saíamos lisas e pingando. Ela nos enxugava, nos dava calcinhas limpas para toda a semana, nos vestia com muito amor e nos mandava ir dormir na nossa cama dupla.

"Então, quanto é?", eu acordei minha irmã.

"Quanto é o quê?", ela me perguntou, meio adormecida.

"Setenta menos quarenta e cinco", eu disse.

"Acho que trinta e cinco", minha irmã, que já estava na segunda série, respondeu.

Mamãe se despia e entrava na banheira depois de nós. Na nossa água, é evidente.

Quando mamãe terminava o banho de lama dela, colocava toda a pilha de roupa suja da semana e deixava muito tempo de molho. Na mesma água, é óbvio. Quando a roupa suja já estava lavada na água imunda, e bem torcida pelas fortes mãos de minha mãe, a água voltava ao mesmo nível do início, duas horas antes. Mamãe entregava a papai a roupa torcida para pendurar na maravilhosa varanda com vista para o porto, enchia baldes com a água do banho coletivo, meu, de minha irmã, de mamãe e da roupa suja, água cujo cheiro já estava na fase de causar dano à saúde pública, e lavava o chão do nosso quarto. Papai pendurava a roupa lá fora e nós dormíamos.

Quando papai terminava, mamãe saía até a varanda.

Ela lavava apenas o nosso lado da varanda. Sem lavar o lado de Lutchi ou de Dori, seu filho.

Depois da excursão pela casa, sentaram-se na sala, em frente à televisão, para ver o noticiário em espanhol, e Laura, a empregada, serviu café com o bolo que a mãe dele havia feito. O pai cochilava diante da televisão e a mãe tomava café, mergulhando um cubo de açúcar atrás do outro. Quando ela ficou olhando o que a mãe fazia, Luna lhe disse que esse é um costume polonês que ela havia adquirido na infância, mergulhar cubos de açúcar no café amargo.

O homem lhe contou que eles tinham uma rede de lavanderias e lavagem a seco em toda Barcelona, que eles dirigiam junto com a irmã gêmea da mãe e seu marido francês, Jean, e que, depois do almoço, a mãe e a irmã trabalhavam em diferentes lojas.

Luna, que queria que ela se sentisse como parte da família, contou que eles abriram as lavanderias e a lavagem a seco havia trinta anos, logo depois da Segunda Guerra Mundial, quando em nenhuma casa havia máquina de lavar roupa, e os negócios prosperaram.

"Hoje é mais difícil", suspirou levemente, "pois todos lavam roupa em casa, mas ainda trazem roupas para lavagem a seco".

"Onde você conheceu seu marido?", ela formulou uma das perguntas que interessam a toda mulher.

"Em Paris, na universidade", ela imediatamente aderiu à conversa. "Ele havia chegado da Bulgária para estudar, nos apaixonamos e nos casamos em um ano", disse, enquanto lhe dava, com isso, legitimação para casar com seu filho em um ano, "e então a guerra eclodiu e fugimos de Paris para cá. Apaixonei-me por ele à primeira vista", acrescentou a mãe observando o marido com um amor sem limites, enquanto este cochilava diante da televisão.

"É possível entender", ela disse. "Ele é muito charmoso."

"É verdade", disse a mãe com um brilho nos olhos azuis e já gostando dela por sua sinceridade.

"Então você é francesa e não, polonesa?", ela perguntou à mãe dele.

"Nasci na Polônia. Mas quando eu tinha um ano meus pais pegaram os quatro filhos e se transferiram para Berlim, e dez anos depois nos transferimos para Paris, e meus filhos nasceram na Espanha. Somos uma típica família judaica errante. O avô e a avó de meu marido também chegaram à Bulgária vindos da Itália. Graças a eles todos nós temos passaporte italiano. Mas também temos uma italiana genuína na família. Minha cunhada Paula, casada com o irmão de Alberto, é de Milão."

Ela ficou pensando consigo mesma que iria levar um ano para aprender os nomes estranhos da numerosa família.

Enquanto isso o pai dele despertou, sorriu para ela e perguntou como estava a vida em Barcelona, e ela retribuiu o sorriso com timidez.

Depois os pais saíram para trabalhar e comunicaram a ela que à noite toda a família viria para conhecê-la. O homem, então, a levou à Praça Catalunha, onde ela deu de comer aos pombos com a palma da mão e se sentiu nas nuvens. Em seguida entraram no *El Corte Inglés*, a maior rede de lojas em Barcelona, e ela provou três blusas de verão e duas calças três-quartos com preço de final de estação.

"Por esse preço eu compraria só uma blusa em Israel", disse ao homem, encantada com os preços baixos. "Como é que os preços de final de estação ocorrem aqui no auge da estação?", perguntou espantada, e ele lhe sorriu, feliz por ela estar satisfeita, dirigiu-se ao caixa com as coisas que ela havia provado e pagou por elas.

Caminharam, então, pelo Passeio de Graça, e ele comentou sobre a arquitetura de Gaudí. Eles se sentaram num bar, comeram petiscos, e ela lhe disse que sua irmã, que estudava arquitetura, adoraria ver as construções de Gaudí.

"Não se preocupe, ela ainda verá", ele disse, e ela lhe sorriu feliz.

"Como sua irmã deixou uma cidade tão bonita como esta por Jerusalém?", ela quis saber.

"Minha irmã é a mais inteligente da família", ele disse a ela, que pensou consigo mesma: Welcome to the club. "Todas as suas notas foram sempre dez. Todos os anos ela conseguia o certificado do aluno que mais se destacava e também todas as bolsas de estudo possíveis", contou com orgulho. "O diploma de final de curso dela era dez de cima a baixo. Por isso, ninguém me dava confiança quando eu tirava só oito, apesar de ser o mais velho. Quando ela se inscreveu na Universidade Hebraica de Jerusalém e ganhou todas as bolsas, decidiu estudar lá. Além disso, já lhe contei que somos uma família muito sionista, e sempre foi muito óbvio para nós que algum dia iríamos a Israel. Meus pais estão muito felizes por ela ter um namorado judeu em Israel. Aqui, as possibilidades de encontrar um noivo judeu não eram muitas."

"Ela virá para cá?", ela perguntou um pouco receosa da irmã brilhante, a qual não conhecia e que somente havia escutado seus gritos em francês pelo telefone na noite de *Pessach*.

"Ela virá a Barcelona daqui a um mês com o namorado, e então faremos um passeio juntos para o sul da Espanha", disse, já organizando a vida dela para os próximos dois meses.

"Sua irmã, com certeza, se daria muito bem com a minha irmã", disse-lhe, e ele respondeu que seguramente se dará bem também com ela. "Todos gostam dela", acrescentou.

À noite vieram a irmã da mãe, a gêmea idêntica, e todos os outros tios, tias, primas e o primo Roberto, para conhecê-la. Essa era uma família quente e numerosa, que falava em todas as línguas possíveis, desde espanhol, francês e italiano, até búlgaro, polonês e alemão. Todos a beijaram com três beijinhos na face, e ela gostou deles à primeira vista, apesar dos beijinhos, que tinha dificuldade de aceitar. Ela não retribuía com facilidade. Mesmo quando era pequena e seus pais lhe diziam para dar beijo nos parentes, ela recusava. Só interagia com os tios. Sua irmã tentava convencê-la de que não é educado recusar beijo à família, e ela dizia que não lhe importava e que odiava o contato molhado dos lábios.

"E além disso, não gosto do cheiro deles", dizia.

"Que cheiro?", a irmã perguntava.

"De gente velha", respondia.

Quando ele a levou ao apartamento que ela dividia com a parceira espanhola, fizeram amor. Ela, então, lhe perguntou se ficaria para dormir, mas ele disse que não ficaria à vontade por causa dos pais, e que precisava voltar para casa.

“Virei apanhá-la amanhã de manhã para passearmos. Tirei uma semana de férias no trabalho para ficar com você”, ele lhe expôs os planos.

Durante toda a noite ela dormiu feliz. Tinha a sensação de que algo maravilhoso estava lhe acontecendo, a mesma sensação que teve quando aos oito anos lhe compraram pela primeira vez sapatos novos para *Pessach*, só para ela, sem sócios, e ela havia adormecido exultante, mas também com o receio de descobrir que tudo era apenas um sonho. Por isso, ao acordar e ver os sapatos novos e brilhantes debaixo da cama, ela os pegou e colocou ao lado do travesseiro. Quis sentir o contato com eles e cheirar o aroma de novo, próximo à sua cabeça. Não há nada como cheiro de novo.

Ela despertou às sete e meia da manhã ao som de música espanhola no rádio e se lembrou de que estava vivendo num sonho. Pensou consigo mesma o quanto seus pais e sua irmã ficariam felizes com a sua própria felicidade.

Mercedes logo preparou um copo de café com croissant, e ela entendeu, pelos gestos, que a moça já havia descido pela manhã para comprar aquele croissant fresco. Mercedes arrumou a bagunça que o namorado havia deixado na sala – copos de uísque com uma garrafa grande vazia, e pequenos potes de petiscos – e saiu para trabalhar às oito da manhã.

Como não sabia o número do telefone da casa do homem, esperou até as onze, quando o telefone tocou e ele se desculpou por ter dormido até tarde, pois ninguém o havia acordado. No carro lhe contou que ele tinha problemas para acordar de manhã e que relógios despertadores ou telefones de nada adiantavam. Alguém precisava também sacudi-lo para que acordasse.

"Você é boa para sacudir?", perguntou a ela.

"Não tenho certeza", ela respondeu espantada, sem entender por que era preciso sacudir alguém para acordá-lo. Pois o que poderia ser melhor do que despertar para um novo dia?

Ela se lembrou de que seu pai, após ficar trocando de trabalho durante anos, quando ganhou a vaga de porteiro no Autocars, a primeira e última empresa de carros em Israel, ficou tão feliz por ter, finalmente, conseguido estabilidade, que acordava com as galinhas às quatro e meia da madrugada, e uma hora depois já estava de guarda à entrada da empresa contra qualquer invasão. No inverno, ela o ouvia se vestir, enquanto a chuva caía torrencialmente e o frio na varanda, onde dormia, penetrava nos ossos; quando ele vinha ver se ela estava bem coberta, apesar de já ter dezesseis anos, fingia dormir para não magoar o pai que estava saindo na friagem. Do mesmo modo, quando viajava de ônibus e via um rapaz ou uma moça que não respeitavam os mais velhos, cedendo-lhes o lugar, as lágrimas lhe brotavam nos olhos só em pensar que a sua mãe estaria de pé no ônibus com as sacolas da feira e que nenhum jovem lhe cederia o lugar.

O homem a levou ao Parque Güell e à Sagrada Família, e eles correram para regressar às duas e meia para o sagrado almoço. Laura abriu a porta e a mãe dele lhes serviu suco de laranja fresco, feito na hora. A refeição também estava muito boa e como da primeira vez incluía entrada, primeiro prato, prato principal, salada de alface, queijos e sobremesa. Novamente ela foi a primeira a ser servida, como cabia a uma respeitável convidada. Ela ficou observando a estátua da mulher azul que encontrou um espaço no aparador e se sentiu querida, assim como ela se sentia. Os pais dele se interessaram em saber se ela estava se sentindo bem no apartamento que o filho havia providenciado, e ela disse que sim, muito. E novamente tomaram café após a refeição, no canto da sala, em frente à televisão, assistiram ao noticiário que ela não entendeu, o pai cochilou no sofá e a mãe se preparou para ir ao trabalho à tarde.

Depois disso passearam em Tibitabo, e ela comeu churros com açúcar; à noite voltaram à casa dele para jantar às nove. Para ela era estranho que às nove da noite ainda houvesse luz do dia, e por isso jantava-se às nove ou nove e meia, e só às dez começava a escurecer. Ela lhe disse que em Barcelona era muito bom, porque se podia aproveitar a luz do dia até uma hora tão tardia, pois em Israel começava a escurecer já às sete e, por causa dos religiosos, não se podia instituir horário de verão.

Desta vez, para o jantar, vieram os amigos Ruth e Nachum Lilienblum que, segundo ele havia lhe explicado no caminho, eram os melhores amigos dos pais dele e os donos de Banca Catalana, o maior banco de Barcelona. Ruth era uma mulher muito bonita, com cabelo branco, mas parecia especialmente jovem, com seu corpo bem talhado. Nachum parecia ser mais velho do que realmente era, um pouco encurvado, e seus olhos indicavam sabedoria. Ele observava Ruth, sua mulher, com admiração e, apesar de estarem em grupo, havia uma sensação de que ele falava para ela, e não para os outros.

Nachum lhe disse que era uma moça muito bonita, e ela agradeceu pelo elogio. Ele perguntou se ela falava iídiche e ficou decepcionado quando ela respondeu que não.

"Como é possível?", ele demonstrou interesse. "Seus pais são asquenazitas, não são?"

"Sim, mas sou uma romena mista", ela explicou a Nachum. "Meu pai é de origem turca e, apesar de ter nascido na Romênia, falava ladino em casa, e não, iídiche, como a família de minha mãe."

"Não é possível que um judeu não fale iídiche", declarou Nachum, decididamente.

"Eu sou israelense", ela disse com orgulho. Enquanto tomavam o café na sala, Nachum lhe contou que era muito jovem no campo de concentração e que havia se salvado devido à sua habilidade em fazer cálculos com exatidão, quando contavam cada pilha separadamente do que restava nas câmaras de gás. Pilhas de alianças de casamento, pilhas de cordões, dentes de ouro, relógios, óculos.

Ele contou esses fatos de passagem, como se dissesse: "Agora estou aqui, apesar deles todos, e não simplesmente aqui, mas sou o dono do maior banco de Barcelona."

"Deus nos criou perfeitos", afirmou Nachum, que acreditava em Deus, apesar do Holocausto, observou a mulher e lhe acariciou a mão, e ela também o observou, deslumbrada. "Olha o corpo da mulher, como vocês são perfeitas, exceto por uma coisa", dirigiu-se a ela.

"Que coisa é essa?", ela perguntou, sem entender.

"A falta de um olho no dedo da mão para poder procurar quando cai alguma coisa embaixo da cama e achar o objeto perdido", explicou a sua teoria, demonstrando como um olho no dedo pode localizar qualquer coisa, seja nos locais mais altos, seja nos mais baixos.

Ela soltou uma gargalhada, e Nachum a observou com seus olhos sábios e disse: "Você engana, não é verdade?"

"Eu engano, por quê?"

"Porque você é uma mulher-menina."

Ela se calou, confusa.

Quando se preparavam para ir embora, eles disseram a ela que certamente voltariam a encontrá-la em Haifa, para onde iam pelo menos três vezes por ano, porque seus três filhos trocaram

Barcelona por Haifa. Eles não a beijaram, como era costume. Já haviam aprendido com seus filhos que os israelenses não gostam de beijar todos que conheciam.

Durante a semana inteira o homem passeou com ela, mostrando-lhe todas as belezas de Barcelona, e ela acabou concordando que, de fato, Barcelona era muito mais bonita que Haifa, sua cidade natal. Trataram de ser pontuais na hora do almoço, conforme a tradição familiar, às duas e meia, com suco de laranja feito na hora, e no jantar, às nove. Por duas vezes, após o jantar, foram à casa dela cedo e ficaram batendo papo com Mercedes e Jorge, mas ele não ficou para dormir com ela.

Era um pouco difícil para ela se acostumar ao fato de ter que se apresentar duas vezes por dia aos pais dele, na hora das refeições, mas a comida era sempre tão boa, que pensava consigo mesma que era até proibido reclamar. Ela disse ao homem que queria estudar espanhol, e ele a inscreveu na universidade, em um curso intensivo para estrangeiros, com a duração de um mês.

Depois de um mês, ela já conseguia articular frases inteiras em espanhol, e Mercedes ficava muito orgulhosa dela, dizendo que nunca havia encontrado alguém que tivesse aprendido a falar espanhol tão depressa.

Ela pensava consigo mesma que tal facilidade se devia ao fato de saber romeno, que havia aprendido em casa, e de serem os dois idiomas muito parecidos. O que ela mais gostava era bater papo com Paula, a tia italiana dele, porque sentia que ela também era estrangeira, só dez anos em Barcelona, e então podia entender a saudade que ela às vezes sentia de casa. Principalmente, da irmã.

A irmã dele chegou com o namorado francês, a quem ela havia conhecido na Universidade de Jerusalém, e eles pegaram o carro do pai e foram viajar a passeio pelo sul da Espanha, durante duas semanas. Finalmente poderia falar hebraico o dia inteiro. A irmã dele era muito simpática e simples, e isso não combinava com a imagem daquela que berrava em francês ao telefone. Os três gostaram de viajar com ela e ver sua admiração em cada cidade ou aldeia, pois essa era a primeira vez que viajava pelo grande mundo, enquanto o homem, sua irmã e o namorado haviam nascido ali. Ela parecia uma menina pequena a quem mostravam o mundo maravilhoso, e ela contagiava a todos com o seu sincero entusiasmo.

Quando entrou numa igreja, pela primeira vez na vida, perdeu a respiração. Tiraram fotos em cada praça, e ela se postou ao lado de todas as estátuas de Santa Maria e dos cinco mil santos que existem na Espanha, e fez caretas engraçadas para depois divertir seus pais ao lhes mostrar as fotos e para que pudessem vivenciar com ela tudo o que estava passando. Quando esteve em Toledo e viu a sinagoga que ainda mantinha o esplendor, emocionou-se e começou a chorar, como se já tivesse estado ali no passado.

Depois de duas semanas desse passeio inesquecível, voltaram a Barcelona e chegaram direto para a refeição de *Rosh Hashana*. Ela e a irmã dele ajudaram Luna um pouco na cozinha, mas especialmente na arrumação da mesa. Recebiam instruções muito precisas de como dispor os guardanapos e os talheres de prata usados nas festas e, obviamente, o jogo de pratos Rosenthal, que era retirado do aparador nas datas religiosas.

Essa foi a refeição mais impressionante da qual havia participado em toda a vida, e a comida, como se poderia esperar, era tradicional judaica. Sopa de galinha com macarrão fininho ou massinha, que a mãe dele sempre comprava em Israel, pois a massinha *shkedei marak* é uma produção israelense. O prato seguinte, um maravilho peixe recheado ao estilo *quefilte fish* que Luna havia preparado com molho picante de raiz forte comprado em Perpignan. Iam a Perpignan uma vez a cada quatro meses e enchiam a geladeira com comidas francesas, como salames maravilhosos, mostardas de todo tipo, queijos, é evidente, e manteiga. Os pais dele, apesar de estarem em Barcelona havia quase trinta anos, sentiam saudade da comida francesa. Por isso viajavam três vezes por ano a Perpignan, na fronteira da França, e de lá, às vezes, davam um pulo até Andorra para comprar algum produto eletrônico isento de imposto; além disso, duas vezes por ano iam a Paris visitar o irmão de Luna com sua risonha mulher.

Em *Yom Kippur*, foram à sinagoga. Como o homem jejuava, ela também jejuou para que ele não se sentisse só. Ele lhe explicou que costumava jejuar para sentir que é *Yom Kippur*, visto que na diáspora era impossível sentir o dia do perdão, porque a vida continuava como se fosse um dia qualquer, como se não precisássemos redimir nossos pecados, e ela ficou encantada com ele por causa disso.

Na sinagoga apresentaram-na à respeitável comunidade, e todos se interessaram muito pela israelense que havia chegado recentemente. De repente, ela percebeu que uma moça bem bonita a observava com muito mais interesse que todos. Paula lhe sussurrou ao ouvido que esta havia sido a noiva do homem, até que ele a conheceu. Ela quis se aproximar e, talvez, pedir desculpas por ter roubado o coração dele, mas a moça lhe deu as costas no instante em que ela dava o primeiro passo na sua direção. Era melhor assim, pois não saberia como expressar seus sentimentos no seu espanhol medíocre e, sobretudo, não lamentava ter roubado o coração do homem. Ela comemorava, isso sim.

Mas, quando as datas festivas passaram e a irmã dele voltou a Israel, ela percebeu que ele não mencionava um futuro em comum. Ela, que havia feito a sua parte, que havia estudado espanhol a ponto de entender parcialmente o noticiário na televisão durante o almoço de família, disse então a ele que precisava voltar a Israel e começar a trabalhar, pois o dinheiro havia acabado depois de uma permanência de três meses em Barcelona Ele disse a ela que iria telefonar, como se quisesse dizer que precisava de um pouco mais de tempo até que lhe propusesse casamento, se é que iria propor.

Ela voltou a Israel um pouco decepcionada, e quando seus pais lhe perguntaram: "E então?", ela mostrou as fotos cheias de sorrisos por toda Espanha. Eles sorriram e perguntaram outra vez: "E então?", e ela mostrou os óculos novos que ele havia comprado, com armação preta e os brilhantes nas hastes, e todas as roupas européias que lhe caíam tão bem. A mãe dela disse que esperava ver um outro brilhante no dedo, e ela não respondeu, e logo encontrou trabalho com um famoso arquiteto em Haifa.

Roupas recicladas

Na sexta-feira após o almoço vestimos roupas de festa e subimos todas as encostas e escadas que levam de nossa casa, na rua Stanton, até a rua Hess em Hadar, na parte alta da cidade. Minha irmã e eu saltamos e corremos, com alegria e ansiedade no coração, na expectativa de saber que roupas receberíamos desta vez. Papai e mamãe iam atrás de nós com a calma típica das pessoas que já não esperam por nada.

Mamãe tinha dois primos, Sami e Fima, um casal com duas filhas. Eram considerados da classe média e moravam em Hadar Hacarmel. Sami e Fima, além de terem trabalho fixo – Fima como enfermeira de escolas e Sami como diretor-mor no porto – tinham, também, parentes distantes na América. E todos sabiam que quem tinha parentes na América era um sortudo.

Não existia nada melhor do que aquele endereço oculto na América, de onde chegavam até você pacotes de roupas ou caixas de conservas, para que as crianças de Israel tivessem o que comer no período de contenção. Depois que pegavam as roupas que queriam, davam-nos para que escolhêssemos a nossa parte. Fora a comida, é óbvio, que ficava toda para eles.

Fima examinava as orelhas de Sefi e as minhas, nossas unhas e, evidentemente, nosso cabelo, procurando piolhos, pois não era à toa que era enfermeira de escola. Depois de constatar que estávamos limpas, ao gosto dela, Fima trazia a última remessa que havia chegado recentemente da América. Caímos em cima da pilha de roupa, e eu retirei rapidamente uma blusa marrom que me parecia bonita, e disse à minha irmã que eu havia pegado antes. Minha irmã dizia que não estava absolutamente interessada nessa blusa e retirava do fundo da pilha a blusa mais linda que eu já havia visto na minha vida. Uma blusa brilhante, de um azul profundo, bem ajustada, que amarrava nas costas com um estiloso laço vermelho. E eu ficava sem entender como o olho afiado de minha irmã conseguia sempre retirar a roupa mais bonita e elegante de toda a pilha de roupas usadas. Minha irmã, que percebia que eu ficava com inveja da sua blusa azul, retirava para mim uma camiseta vermelha de dentro da pilha que ia diminuindo e me dizia que se eu vestisse a camiseta vermelha debaixo da blusa marrom que eu havia pegado, com a saia escura, ia ficar engraçado. Perguntei, então, por que eu tinha que me vestir de forma engraçada, e ela disse que se você vestisse uma roupa engraçada as pessoas pensariam que foi de propósito, para ficar engraçado, pois era melhor parecer engraçado de propósito do que parecer pobre.

Olhamos para mamãe, parada no meio do quarto, vestindo um traje bege muito feio, jogado em cima dela, alguns números maior do que ela usava, e Fima dizia que estava muito bonito, que vestia como uma luva. Mamãe disse que iria costurar o traje nos lados e aí ficaria bem, tentando convencer a si mesma e a papai que o traje estava bonito. Papai torcia a cara e não dizia nada, e Fima repetia que essa era uma remessa nova da América, que havia chegado ainda essa semana e que, na verdade, ela queria esse traje para si, mas ficou enorme, pois era uma mulher baixa e muito magra. Até mais que mamãe. E eu fiquei pensando que, ao que tudo indica, na América havia fartura de comida boa e que, por isso, todos lá eram corpulentos e as roupas que chegavam da América não eram adequadas às medidas das pessoas de Israel.

Papai provou um suéter feio demais, e Sami fez com a mão um gesto de "mais ou menos", e eu não sei por que os homens são sempre mais sinceros do que as mulheres e ousam dizer ou insinuar a verdade que a mulher não enxerga. Papai, então, tirou o suéter e o colocou de novo na pilha.

Fima disse a papai que pegasse o suéter pelo menos para trabalhar, e papai disse que ele não iria com um suéter como aquele para o trabalho. Uma pessoa deve estar vestida adequadamente na sua ocupação.

Mamãe disse a papai que para vender café numa bandeja cônica de três andares, na cidade baixa, não era preciso estar bem vestido, e papai respondeu nervoso que ninguém o veria vestindo um suéter de terceira mão.

Sami perguntou a papai por que ele não falava com Niko, seu cunhado de Hadera, que ocupava um cargo elevado no sindicato trabalhista. E papai ficou sem entender como Niko, em Hadera, poderia lhe arranjar um trabalho em Haifa. Sami explicou a papai que o sindicato tinha contatos no país inteiro. Mamãe perguntou a Sami se ele poderia arranjar trabalho para papai no porto, um trabalho com estabilidade como ela sempre sonhou, e Sami respondeu que sim, com facilidade, mas somente como estivador.

Fima perguntou a mamãe se ela havia feito o que lhe recomendara na vez anterior, em relação aos piolhos, e mamãe respondeu que havia feito exatamente de acordo com as instruções que recebeu. Realmente, ela não tinha encontrado em nós nenhuma lêndea, não é verdade?

Fima testou a memória de mamãe quanto à eliminação de piolhos na forma de lêndeas, e mamãe respondeu com precisão: um copo e meio de querosene, meio copo de vinagre, um pouco de sal e pimenta, espalhar na cabeça com uma escova, pentear o cabelo para distribuir a mistura, cobrir bem com uma toalha e esperar duas horas. Fima disse a mamãe que ela poderia rir o quanto quisesse, mas não havia outra forma de acabar com os piolhos quando são pequenos.

Mamãe perguntou a Fima se ela não achava que o querosene e o vinagre poderiam pingar para dentro do cérebro e causar algum dano cerebral grave. Pois eles confiavam muito que Iosefa iria se tornar médica ou advogada. Fima, a enfermeira, desprezou a pergunta de mamãe com um gesto de mão. Entramos no quarto das meninas para brincar com as bonecas delas. Além de terem um quarto só para elas, tinham também bonecas.

Perguntei-lhes quando a mãe delas iria nos chamar para jantar. Estava morta de fome. Aliás, ela fazia as melhores omeletes do mundo. Minha irmã dizia que tudo o que não fosse a polenta que comíamos todas as noites acharíamos delicioso.

Finalmente Fima nos chamou para ir comer, e eu fui a primeira a sair correndo, mas não vi nenhuma omelete no prato. Olhei cheia de esperança para Fima quando ela saiu da cozinha com a panela fumegante, quem sabe as omeletes maravilhosas estavam chegando naquele instante, mas Fima disse que sempre nos oferecia omelete e, por isso, quis variar um pouco e nos fazer uma surpresa com polenta quente.

Ela perguntou se gostávamos de polenta. Eu não respondi, olhei para minha irmã esperando que ela dissesse a Fima que comíamos polenta todos os dias. Eu sabia que papai e mamãe jamais diriam isso, e havia coisas que só crianças podiam dizer, porque é falta de educação demonstrar insatisfação quando você recebe comida de graça, mas Iosefa só dizia que, óbvio, nós gostávamos de polenta, só que não estávamos com tanta fome.

À noite, saímos da casa de Sami e Fima e começamos a descer as encostas de Haifa, no caminho de volta à parte baixa, em Stanton, número quarenta. Mamãe, Iosefa e eu carregávamos sacolas, e só papai ia com as mãos vazias. Apesar de tudo, ele não se convenceu e se recusou a levar aquele suéter feio.

Papai comentou com mamãe, com muita irritação, sobre o trabalho como estivador que o primo dela lhe ofereceu. Ele que fosse ser estivador. E mamãe respondeu que ela ainda não havia visto ninguém da família de papai que lhe tivesse oferecido alguma coisa melhor.

"Qual é o problema? Eu não trabalho com serviços domésticos? Você não acha que isso é comparável a ser estivador? E para que eu estou trabalhando? Para que você vá e compre um suéter novo para a sua respeitável ocupação. É um grande sabichão, que sai por aí desperdiçando o dinheiro das meninas! Vamos ver só onde elas vão chegar", ela disse.

"Não se preocupe com elas. Elas vão vencer na vida. Estou certo disso", respondeu papai, que nos pegou no colo, cada uma em um braço, e começou a correr pelas encostas da cidade.

Papai lamentou muito por não termos ganhado a omelete que tanto esperávamos, e eu fiquei resmungando que só porque ele havia nos ensinado a não ofender as pessoas, só por isso, não havíamos dito a Fima que nós, decididamente, não queríamos polenta.

É isso. Acabou-se o grande dia de compras. Com a alegria que um dia assim é capaz de proporcionar, voltamos para casa felizes com as roupas de terceira mão que ganhamos, roupas que depois foram lavadas na água da grande lavagem da imunda quinta-feira. E tudo isso antes de sabermos que há um buraco na camada de ozônio e que é preciso reciclar tudo. E nós, que reciclávamos a nós mesmos, nossas roupas e até nossa água, poderíamos ter ficado ricos só com isso.

Ela trabalhava com o arquiteto de oito da manhã até quatro da tarde, e às cinco chegava à padaria de Dochovni para vender maravilhosos pães de centeio para quem quisesse outro pão diferente do de sempre.

Trabalhava com Dochovni, não porque precisava de uma renda adicional, que, aliás, nunca atrapalha, mas porque ele havia ligado para ela pedindo muito que voltasse, pois não conseguia encontrar nenhum vendedor em quem confiasse e que não roubasse dinheiro do caixa.

Dochovni era um velho solitário sem filhos, com um comércio em ascensão, uma padaria caseira e não tinha quem lhe desse seguimento. Ela se sentia em dívida com ele por todo o dinheiro que havia roubado do caixa, e sentia-se assim apesar de saber que ele tinha conhecimento disso e, portanto, não deveria se sentir devedora. E talvez ela só quisesse ajudar, porque gostava dele.

Ela começou a trabalhar com Dochovni aos dezessete anos, no último ano dos estudos no colegial. Ele estava por perto em todos os acontecimentos da sua vida, até que se mudou para

Jerusalém. Gostava tanto dela que combinou que, quando ela quisesse e tivesse tempo, fosse lá para vender pão, mas não menos que duas horas seguidas. Quando ela ia trabalhar, ele podia subir e descansar do trabalho que havia começado às quatro da manhã. Não confiava em mais ninguém além dela, apesar de que ela não tinha dúvida de que ele sabia que quando queria ir ao cinema ela afanava dez liras do caixa. Duas vezes ele chegou a perguntar no dia seguinte como havia sido o filme, e às vezes ela lhe dizia espontaneamente, como se estivesse comunicando que iriam faltar dez liras no caixa. Sempre roubava exatamente, mas exatamente mesmo, dez liras para dois ingressos para o cinema, e nunca havia levado uma lira a mais, nem para a pipoca. Pois ela havia aprendido a amar o cinema na casa dos pais, de modo que pegava o dinheiro só para que ela e sua amiga da escola Riali absorvessem um pouco de cultura. Mas se tivesse afanado também para pipoca, isso sim, seria um roubo.

Dochovni ficou muito feliz por ela ter voltado depois de tê-lo abandonado ao final de seus estudos, transferindo-se para Jerusalém e depois para Tel-Aviv e por fim para Barcelona, mesmo que tenha voltado apenas para duas horas diárias, e não lamentou por ela não ter recebido o pedido de casamento, pois, para ele, isso significava um rompimento para sempre. Cada um e seus interesses.

Quando ela voltou para trabalhar com ele, depois de dois anos sem se verem, Dochovni lhe contou que teve um vendedor que roubava entre cem e duzentas liras por dia do caixa, como se estivesse querendo dizer que as dez liras dela não lhe importavam. Disse isso e foi descansar, com a sensação de que a padaria estava em boas mãos. E agora que ela trabalhava e ganhava a vida como desenhista pela manhã, e obviamente podia se permitir comprar ingressos para o cinema com seus próprios recursos, não pegava dele nem um centavo. Dochovni ficava tão emocionado com o fato de que todo o seu dinheiro permanecia no caixa que, quando ela se casou, meio ano depois, ele lhe deu um cheque no valor de três mil liras, equivalente ao total acumulado se ela tivesse pegado dez liras todos os dias, ou até mais. Ele sempre lhe dizia que se ela não tivesse pai e mãe, Deus não permita, ele a adotaria imediatamente, e ela respondia que não existia ninguém como seus pais.

Logo que ela começou a trabalhar com Dochovni aos dezessete anos, seu namorado Israel vinha, às vezes, pegá-la no trabalho e Dochovni o olhava de cara feia. Ela via que ele o odiava, exatamente como seus pais e a irmã, que achavam que dali não iria sair nada de bom. E mesmo quando ela chegou com o rabo entre as pernas depois que Israel, intencionalmente, a havia engravidado para que não servisse o exército, Dochovni não chegou dizendo: "Eu te avisei", exatamente como seus pais e irmã, que tampouco lhe disseram nada e respiraram aliviados que a história entre ela e Israel houvesse chegado ao fim.

Quando alguns fregueses reclamavam dela, dizendo a Dochovni que ela os apressava para decidir se compravam pão de centeio ou três pãezinhos de cebola, pois eles ficavam um tempo enorme decidindo, ocupando um espaço precioso na pequena loja, como se essa fosse a decisão mais importante das suas vidas, ele assentia com um movimento de cabeça e justificava dizendo que ela era apenas uma menina; quando saíam, no entanto, passava a mão na cabeça dela e dizia: "Não dê atenção a eles. A vida deles deve estar mesmo muito difícil, se não conseguem decidir que pão comprar." Mas um dia entrou uma mulher muito rabugenta, que havia saído direto do cabeleireiro com um penteado que parecia uma torre, com uma tonelada de spray sustentando a torre, e gritou com ela em iídiche que o pão que ela havia lhe dado não parecia fresco. Ela explicou à mulher que não entendia iídiche, e então a mulher jogou o pão sobre o balcão e, ao que parece, pediu para que o trocasse. Ela trocou e embrulhou o pão num papel marrom e, quando a mulher se abaixou para colocar o pão na bolsa de compras, ela juntou as migalhas que estavam sobre o balcão e jogou todas no penteado de torre com spray da mulher rabugenta, pois para tudo havia um limite e não precisava aturar o mau humor das pessoas sem reagir. A sua vida também era difícil, pois o homem dela estava em Barcelona, enquanto ela vendia pão em Haifa.

Ele telefonava para ela pelo menos duas vezes por semana, falando da saudade que sentia, e ela ficava calada, sem entender por que ele só telefonava se sentia tanta saudade. Ela também sentia muita saudade dele, apesar de manter um romance – nada agitado ou importante, mas suficiente para amenizar a saudade – com o chefe dela, o arquiteto.

"Tenho um namorado e eu o amo", ela disse ao chefe quando este demonstrou interesse nela, além dos limites do trabalho que realizavam juntos.

"E onde ele está?", ele perguntou.

"Em Barcelona.!", ela respondeu.

"Barcelona fica longe", ele disse.

Então, ela pensou: "Longe dos olhos, longe do coração", e como havia deixado Barcelona sem nenhuma promessa de casamento ou nem mesmo uma menção nesse sentido, ela não sentiu que o estava traindo, como o chefe traía a sua mulher.

"Como você consegue trair sua mulher?", ela perguntou com a ingenuidade de uma moça de vinte e três anos.

"Quando você estiver no meu lugar, vai fazer a mesma coisa", afirmou com a segurança de um homem de quarenta.

"Vou preferir me separar a trair meu marido", ela disse.

Seu chefe lhe explicou que havia se casado muito jovem e que aos vinte e cinco anos já tinha três filhos, que a vida estava desgastada, porque a rotina devorava tudo o que era bom, que estávamos nesse mundo temporariamente e blablablá.

Ela decidiu fazer o que era bom para ela, pois não era a guardiã da moral dos seus chefes e, de qualquer maneira, se não fosse com ela, ele iria trair a mulher com outra. Além disso, estava muito cômodo. Era perto, disponível, sem compromisso e tornava a espera mais agradável. Apesar de não faltarem paqueradores livres e da sua idade, ela, de verdade, estava mesmo apaixonada pelo homem de Barcelona e seu coração não estava disposto a paqueras. O homem casado não a paquerava realmente e queria só uma coisa – sexo – e, como ele era bonito, combinava com ela. Mas quando ele contou que havia recebido menção honrosa na Guerra dos Seis Dias e de que maneira seu melhor soldado havia sido morto, chorou como uma criança, e isso lhe tocou o coração saudoso pela distância, reforçando a saudade. Confessou-lhe que ela estava no Oriente, mas seu coração, no Ocidente, e a mesma dor os uniu.

Três meses depois, o homem telefonou e pediu que ela organizasse o casamento deles para o mês de março. Ela perguntou se esse era um pedido de casamento e ele disse que sim. Quando chegou toda alegre e comunicou ao chefe que iria se casar em março, estava certa de que ele ficaria feliz por ela, mas ele ficou muito abatido.

"Você vai encontrar facilmente outra mulher para ter um caso", ela tentou consolá-lo, mas ele a olhou ainda mais abatido e lhe perguntou se era só isso que representava para ela, um caso.

"Sim. E não era?", ela perguntou.

"Quem sabe até onde isso poderia chegar?", ele respondeu e ela o olhou, espantada.

"Chegar até onde?", ela perguntou. "Daqui a três meses me caso com o eleito do meu coração."

"Eu me liguei a você, não consegue entender?", ele disse.

Ela não entendeu e largou o trabalho no escritório dele sem entender. O velho Dochovni a recebeu com alegria para oito horas de trabalho por dia, com o mesmo salário que recebia no escritório de arquitetura. Ela não quis trabalhar mais do que oito horas para lhe sobrar tempo para os preparativos do seu casamento.

Como sua irmã vivia em Tel-Aviv, foi ajudada por Batia, uma parenta que já estava casada havia dois anos e, por isso, certamente, já tinha experiência com casamentos. Batia tinha uma menina pequena que ia com elas a todos os salões de Haifa, até que escolheram um que parecia adequado.

Quando ela contou ao homem, por telefone, que achou um salão simpático, ele foi logo dizendo que ele e seus pais só aceitavam o "Salões do Carmel".

"É muito caro", ela disse.

"E daí?", ele respondeu ao telefone. "Só se casa uma vez na vida."

Eles decidiram, também por telefone, que chamariam duzentos e cinqüenta convidados. Cem do lado dela e cento e cinqüenta do lado dele, que tinha uma família numerosa até em Israel, e ela achou essa divisão bastante justa, considerando o fato de que os pais dele certamente pagariam o casamento no salão mais luxuoso de Haifa, assim como o pai de seu cunhado havia custeado, há dois anos, o casamento de sua irmã para cem pessoas da família que foram convidadas para um suntuoso restaurante em Tel-Aviv. Sua irmã e o marido se recusaram a casar num salão e determinaram que somente a família mais próxima iria participar do evento.

Quando os pais dele chegaram para conhecer a família da noiva, duas semanas antes do casamento, o pai dela disse que eles iriam pagar a parte de seus convidados. Ele disse isso por educação, e também por uma questão de amor próprio. Talvez estivesse esperando que eles recusassem completamente a sugestão, pois não havia sido ele que escolhera o salão mais caro de Haifa. Mas eles não recusaram, e então os pais dela trataram de aumentar a hipoteca do apartamento, para cobrir os custos do casamento da filha mais nova num salão que estava além das suas posses. Por sorte haviam convidado apenas cem pessoas do lado da noiva. Eles se recusaram, definitivamente, a aceitar da filha a pequena soma de dinheiro que ela havia conseguido economizar nos últimos seis meses de trabalho. Queriam que ficasse na conta bancária dela para qualquer imprevisto.

Depois foram todos no trem Carmelit para o "Salões do Carmel" para escolher o cardápio do casamento, e quando seus futuros sogros encomendaram bufê livre, o que encareceria ainda mais a festa, os pais dela a olharam com um certo desespero e ficaram sem jeito de dizer que estava fora das suas possibilidades pagar toda essa quantia. Alegria é uma coisa cara, ela pensou de repente. A tristeza é um artigo mais barato, pois exige apenas lágrimas de produção própria.

A família do noivo, inclusive ele, viajaram a Jerusalém, e a noiva com seus pais permaneceram em Haifa, roendo as unhas.

Ela cancelou o vestido que pretendia comprar, por causa do preço, pegou uma carona no trabalho do pai em Autocars com um dos transportes que ia a Tel-Aviv e parou na casa da prima Yael, que havia se casado meio ano antes. Dois meses antes Yael lhe havia oferecido, generosamente, o seu vestido de noiva; ela agradeceu, mas recusou dizendo que queria um vestido próprio. Só dela, sem sócios.

Ela pegou o vestido de Yael, dois números a mais do que o seu, e voltou a Haifa diretamente para a costureira para ajustar o vestido.

Quando voltou da costureira, encontrou em sua casa Fima e Sami, que vieram para saber como havia sido o primeiro encontro com os pais do noivo e para contar, com todo entusiasmo, que no dia anterior haviam viajado de trem de Tel-Aviv a Haifa, após a visita semanal que faziam à neta e à filha, e que no trem começaram a conversar em iídiche com um casal de turistas muito simpáticos e – como este mundo é pequeno! – ficaram sabendo que eles eram de Barcelona. Fima e Sami disseram aos turistas que até dois dias antes não conheciam ninguém de Barcelona e que coincidentemente uma moça de sua família estava se casando com um rapaz de Barcelona. "Talvez vocês o conheçam", disseram a Ruth e Nachum Lilienblum, que responderam alegremente que, não apenas conheciam o noivo, que era filho de amigos deles, mas que também vieram dessa vez a Israel especialmente para o casamento.

"A noiva é uma moça bonita", disse Nachum a Sami, que lhe respondeu que desde menininha já era bonita, mas muito travessa.

"A que você se refere quando diz que era travessa?", perguntou Ruth. "Ela me pareceu ser justamente o contrário, uma moça muito delicada."

"É encantadora e tem bom coração, mas é rebelde", explicou Fima. "Ela só faz o que quer."

"Acho isso muito bonito nela", resumiu Nachum, o polonês de Barcelona, a quem a noiva havia agradado à primeira vista. "Parece uma mulher forte e tenho certeza de que é uma boa dona-de-casa."

"O noivo a ama, e é isso que importa", acrescentou Ruth.

Tudo isso Fima e Sami contaram a ela na casa de seus pais, e acrescentaram que quando desceram do trem, emocionados com esse encontro casual, comentaram entre si que essa história de amor é do tipo Cinderela.

Quando o homem telefonou para ela de Jerusalém, à noite, perguntando se o vestido que ela havia comprado estava pronto, ela não disse que no final das contas iria se casar com um vestido de segunda mão, que lhe havia sido emprestado no último instante por Yael, sua prima, e só disse que o vestido lhe caía muito bem, de acordo com as suas medidas.

Ela contou à irmã a respeito do valor exorbitante que seus pais se comprometeram a pagar, e disse que sentia vontade de cancelar todo esse casamento que havia ficado insuportavelmente caro e se casar como a irmã, no rabinato e com o grupo reduzido da família.

"É tarde demais. Conte-lhe a verdade", a irmã sugeriu, mas ela respondeu que se a irmã tivesse visto como eles vivem lá, entenderia por que ela não podia dizer a verdade.

O esperado dia chegou, e ele foi pegá-la para o casamento com o Volkswagen da irmã, vestindo terno de veludo verde profundo e uma gravata borboleta azul, também de veludo. Ele era o noivo mais impressionante que ela já havia visto e estava orgulhosa por ser o seu noivo.

Quando entraram no salão, os pais dele esperavam ali, festivos e elegantes, enquanto os dela, ao lado, pareciam pequeninos, um pouco perdidos no magnífico salão.

A mãe dele disse a ela que o vestido de noiva estava muito bonito, enquanto o pai dele perguntava irritado quem havia mudado o cerimonial decidido em conjunto, de bufê livre para cardápio servido nas mesas. Ela quis dizer que eles não haviam decidido juntos e que esta havia sido uma decisão mais da parte dele, mas como não estava entendendo a respeito do que ele estava falando, limitou-se a olhar para sua mãe.

A mãe disse que ela havia mudado, porque achava que as pessoas eram tímidas por natureza e que não iriam até o bufê livre para se servir.

"Lamento por ter decidido sozinha mudar o cerimonial. Mas vocês não conhecem a mentalidade das pessoas em Israel. Estão acostumadas a serem servidas à mesa, e não, a ficarem de pé numa fila para se servirem", tentou justificar a mudança que havia feito no último momento, sem comunicar a ninguém.

"Mas como você teve o atrevimento de mudar sem dizer pelo menos para mim?", ela perguntou à mãe em romeno, depois, num canto.

"Limpei muitas casas para chegar a esse momento e ninguém vai tirá-lo de mim. Você sabe que eu tenho razão e que é muito mais atencioso quando os garçons servem nas mesas."

Os pais dele ficaram furiosos com sua mãe, e o sogro não trocou com ela nenhuma palavra durante todo o casamento, além do tradicional "felicidades" após a cerimônia religiosa sob o dossel. A sogra foi mais condescendente. Quando todos vieram beijá-la e desejar felicidades, esqueceu o desagradável incidente.

Depois da cerimônia levantaram os noivos nas cadeiras, e eles se deram as mãos e se entreolharam com amor, nas alturas do salão de casamento, e ela pensava consigo mesma: "Na alegria e na tristeza." Ao que tudo indica, a comida estava muito boa, mesmo servida diretamente à mesa por garçons muito gentis, mas os noivos não provaram nada, pois estavam emocionados. E quando todos estavam alegres por causa do vinho que jorrava como água, o pai dele distribuiu charutos a todos os homens. Essa era uma surpresa, e todos os amigos dela circulavam com o charuto na boca, sentindo-se como pessoas do grande mundo. Ela ficou observando os seus pais, que já tinham quarenta anos quando ela nasceu, para chegarem até esse momento em que podiam esnobar, com a filha e seu impressionante noivo, principalmente porque no casamento da filha mais velha não puderam demonstrar seu orgulho, já que havia sido apenas uma refeição num restaurante, sem dossel nupcial, sem cerimônia religiosa, sem danças e sem seus amigos do jogo de cartas. E quando, afinal, estiveram presentes em um casamento em que foram distribuídos charutos aos homens?

Quando o rabino se aproximou dela, porque sabia que o noivo não falava hebraico, e perguntou a quem deveria cobrar, ao pai do noivo ou ao pai da noiva, ela disse: "A quem tem dinheiro", apontando para o pai de seu recente marido de Barcelona.

À uma hora da manhã os últimos convidados se retiraram e os noivos foram até o hotel Dan, que ficava próximo ao salão do casamento. Ele a carregou nos braços ao entrarem na sua luxuosa suíte, como se costumava fazer, e espalharam, na cama e no chão, os cheques que haviam recebido. Acenderam um cigarro e se divertiram chamando um ao outro de "meu marido" e "minha mulher", e ela quis que ele permanecesse com o terno de veludo verde, de tão bonito que estava.

Mas quando ele quis se deitar com ela, disse a ele que não podia.

"Por que, você está no período menstrual?" ele perguntou, decepcionado.

"Não. Eu não consigo ter relações de forma tão organizada, na hora de ir para a cama, antes de dormir. Eu espero que o sexo entre nós seja sempre surpreendente, não à noite, no final do dia, na cama, antes de dormir."

Ela o surpreendeu com essa resposta. Talvez, se ele soubesse que ela pensava assim, não tivesse se casado com ela.

"Por exemplo, quando eu estiver fritando *shnitzel*, se aproxime, me abrace, tire a minha calcinha, assim, você sabe, de surpresa. No meio da fritura do *shnitzel*."

"Na nossa casa quem frita *shnitzel* é Laura. Você quer eu vá de surpresa até ela?"

Ela soltou uma gargalhada, pegou-o pela mão e rolou com ele no chão, entre a pilha de cheques, enquanto ia lhe tirando o terno de veludo verde, e ele tirava dela o vestido de noiva que era da prima.

No dia seguinte, foram se despedir do velho Dochovni. No caminho ela encontrou Batia com a filha pequena, que lhe prometeu ir visitá-los em Barcelona, pois seu marido era da Marinha e ela e a filha poderiam acompanhá-lo em viagem.

"Ela é sua amiga?", ele perguntou, e ela respondeu que não tinha idéia que tipo de laços de família existia entre elas, mas que Batia fazia parte do panorama da sua infância.

A guerra do Sinai

À noite, minha irmã e eu havíamos tido o mesmo sonho. Exatamente o mesmo sonho.

Nele encontrávamos uma moeda de um tostão. Nos abaixávamos, alegres, para pegar a moeda do chão e debaixo dela havia outra moeda. Pegávamos também essa e, novamente, debaixo dela havia outra. Isso significa que o dinheiro estava ao seu dispor. Levantávamo-nos para ir embora e, de repente, decidíamos voltar para o lugar do tesouro escondido e começávamos a cavar. Cavávamos e encontrávamos mais uma moeda, e depois outra, moedas de vinte e cinco tostões e de cinqüenta tostões, uma pilha gigantesca de moedas. Sentíamo-nos no sonho como um ganhador de cassino que recebe pilhas e mais pilhas de moedas, e grita de alegria, só que nós precisávamos cavar a terra para achar as moedas.

Duas irmãs com o mesmo sonho.

E assim íamos circulando pela rua Stanton, brincando e inventando histórias, tagarelando, conduzindo a nossa vida na linha divisória entre a imaginação e a realidade, e tudo se misturava. As fantasias têm uma função importante na pobreza.

Elas amenizam a carência e, na minha opinião, meus pais sabiam disso e jamais tentaram nos trazer de volta à "realidade". Eu acho que, por exemplo, quando eles nos chamavam para jantar e não respondíamos, papai e mamãe sabiam que estávamos na hora da fantasia. Assim como atualmente existe a hora do conto.

Eu gostava de ouvir a história que papai contava sobre dois pescadores que ficavam na margem do quebra-mar pescando. Um deles estava muito bem vestido e o outro estava vestido com muita simplicidade. O pescador elegante perguntou ao pescador simples o que ele estava fazendo. Este respondeu: "O mesmo que você, estou pescando". O pescador elegante o contestou: "Já que você está aqui, desperdiçando seu tempo com o anzol, esperando pacientemente até pescar um peixe, por que não faz como eu e coloca de uma só vez dois anzóis para que possa pescar o dobro?" O pescador simples disse: "E que vantagem terei com isso?" O elegante respondeu: "Com o dinheiro adicional que você ganhar, poderá comprar uma rede de pesca e pegar muito mais peixes." O simples perguntou: "E que vantagem terei com isso?" O elegante respondeu: "Você pescará muito mais peixes e, com o dinheiro que sobrar, poderá comprar um pequeno veleiro, sair para o grande mar, estender uma rede maior ainda e pescar muito mais peixes." O simples voltou a perguntar: "E, então, que vantagem terei com isso?" O elegante respondeu: "Você terá muito mais peixes, e então poderá comprar um grande barco de pesca e empregar trinta trabalhadores para servi-lo; assim não precisará trabalhar mais." O pescador simples perguntou ao elegante: "E o que farei o dia inteiro?" O elegante: "Poderá, por exemplo, sentar e pescar por prazer." E o simples disse: "E o que estou fazendo agora?"

Papai nos contava todas as histórias até Rose chegar e pegar o seu lugar.

Rose era uma excelente contadora de histórias. Ela se lembrava de cada detalhe da história e não deixava de mencionar nenhuma princesa encantada, aprisionada pela madrasta num quarto estreito sem janelas, com uma pequenina fresta por onde apenas o bico de uma águia poderia penetrar.

A família Rosenberg constava de Rose, a mãe, Johnny, o pai bonitão, e Batia, a menina magricela. Um deles, Rose ou Johnny, era parente distante de papai, e quando vieram parar em Haifa, depois de terem passado por todo o país de cima a baixo e de lado a lado à procura de trabalho, papai conseguiu arranjar para Johnny um emprego como estivador no porto e também convenceu sua irmã Lutchi a alugar a pequena cozinha de *tanti* Mari à família Rosenberg. Por respeito aos velhos, papai explicou à irmã, *tanti* Mari deveria passar para o belo quarto que dava para a varanda. Era o quarto de Dori, que ficou vago depois que ele se alistou na Marinha. Batia, Sefi e eu nos espremíamos na estreita cama da família Rosenberg, pois na pequena cozinha sem janelas não havia espaço para duas camas, e voávamos no cabo de vassoura, com toda a magia de Rose.

Com as histórias de Rose voávamos para terras distantes e geladas, com reis e condes, príncipes e sapos, e sabíamos que somente o amor poderia libertar o mundo da maldade.

Adormecíamos todos na cama estreita, com um sorriso de orelha a orelha, com nossos sonhos de felicidade, certas de que no dia seguinte a vida seria melhor.

Numa manhã acordamos com os gritos de Rose. O marido, Johnny, havia chegado em casa bêbado como Lot, cheirando a álcool e cheio de vinho, e batido violentamente na mulher que tinha se atrevido a perguntar onde ele estivera a noite toda.

Batia, uma menina que chegava a ser feia de tão magra, tentou defender com seus pequenos punhos a mãe, a contadora de histórias, dos golpes assassinos de Johnny, mas este a pegou, como só pessoas do serviço secreto sabem fazer, e deu nela também pancadas de morte – largando uma para pegar a outra. Ficamos olhando, paradas num canto, com o corpo inteiro tremendo de medo, horrorizadas, principalmente, com a humilhação. Humilhadas até o fundo da nossa alma, com o fato de alguém poder ser tão cruel. Havíamos ido dormir com tanta esperança no coração e acordamos com o horror.

Fila e eu tentamos separar Rose dos punhos de Johnny, mas não conseguimos nem mesmo fazer cócegas nas pontas dos dedos dele, e ele nos empurrou com a mesma facilidade que um lutador de sumô empurra uma pena.

Papai chegou com o barulho dos gritos, e ele também levou uns socos do bêbado Johnny.

Não havia telefone para ligar para a polícia, e minha irmã e eu corremos até a varanda e começamos a berrar, às seis horas da manhã "Socorro! Socorro! Estão matando nosso pai."

Era uma manhã quente e todas as janelas da rua Stanton estavam abertas, e de todas as casas começaram a espiar muitas cabeças de uma só vez, por causa dos nossos berros que estavam matando nosso pai.

Nissim, o nosso vizinho sírio de cima, foi o primeiro a chegar e, como ele era um grande especialista em surras, pois não passava um só dia em que não batia nos cinco filhos com o cinto, conseguiu com relativa facilidade libertar nosso pequeno e querido pai dos terríveis punhos de Johnny.

Papai disse a Johnny que pegasse a mulher e a filha e saísse voando da sua frente, e que fosse para o mais longe possível.

Rose, machucada, caiu de joelhos e implorou a papai que perdoasse Johnny, pois ele não pretendia fazer o que fez. Por acaso ele havia bebido muito e acabou perdendo o juízo.

"Isso não vai acontecer mais, eu lhe garanto", Rose disse a papai.

Papai se recusou a ouvir, dizendo que já bastava que em todas as outras casas, um batia no outro. Disse que não estava disposto a ter em sua casa um homem que bate na mulher e nos filhos.

Johnny, deitado na pequena cama, chorava como uma criança repreendida. Pedia desculpas, dizendo que nunca mais levantaria a mão para bater em ninguém e que não tinha para onde ir.

"É por isso que você vive circulando pelo país inteiro. Certamente o expulsaram de todos os lugares depois que você andou dando as suas pancadas de morte", de repente papai se deu conta do motivo das andanças de Johnny e sua família.

"Eu bato só na minha mulher e na minha filha, para descarregar o nervosismo", Johnny se defendeu.

Rose, machucada e abatida, olhou para nosso heróico pai com olhos tristes e úmidos por causa do choro e sussurrou que, se ele os expulsasse da casa, algum dia Johnny a mataria e a filha magricela.

Então papai disse a Johnny que eles podiam ficar, mas que da próxima vez que batesse em Rose e em Batia, a filha magricela, ele iria colocá-lo direto na prisão. "Na prisão você não terá em quem bater. Nem o que beber."

Depois papai nos levou ao nosso quarto, as filhas queridas, e nos abraçou com força, enquanto nós adormecíamos nos braços dele que nos protegiam de todo o mal.

No dia seguinte, à noite, Rose entrou no nosso quarto com Batia, a filha magricela, e contou na nossa cama as suas maravilhosas histórias.

Quando adormecemos, pegou a filha e voltou à pequena cozinha sem janelas.

No meio da noite acordamos com o barulho de sirenes que iam e vinham.

Fila chorava porque achava que Johnny estava novamente matando Batia a socos, mas papai disse que desta vez não era Johnny. A sirene era um alarme: estávamos em guerra.

A guerra do Sinai havia começado.

O carro de polícia passava na rua e no alto-falante ordenavam a todos os habitantes que descessem aos abrigos antiaéreos. Estavam bombardeando Haifa.

Johnny logo apareceu no nosso quarto com a filha nos braços, pegou a minha irmã e a mim e desceu conosco ao abrigo. Papai pegou vovó Vavika, que ainda era viva e que veio a morrer um ano depois desse fato, e nossa mãe, com toda a sua praticidade, levou cobertores.

No abrigo me dei conta de que meu chinelo havia caído do pé na grande fuga e comecei a gritar: "Quero meu chinelo. Vou subir para procurar", eu disse, e pulei fora dos braços de Johnny que continuava segurando as três menininhas, como se estivesse nos defendendo das bombas.

De nada adiantaram as súplicas dos adultos, argumentando que os egípcios estavam nos bombardeando e que o chinelo velho não iria ter nenhuma utilidade se eu morresse no caminho

Johnny disse que ele iria subir e traria meu chinelo, e então mamãe lhe pediu, já que ia subir, que pegasse um pouco de *Turkish delight* do armário, na segunda prateleira do lado esquerdo, onde estava escondido exatamente para ocasiões como essa. Pelo menos vamos morrer com alguma coisa doce na boca, mamãe disse a Johnny, e em seguida ele subiu.

Depois de um longo tempo que parecia uma eternidade, Johnny voltou com o meu chinelo e com a caixa de *Turkish delight.*

"Por que você demorou tanto?", mamãe reclamou.

“Você escondeu tão bem o *Turkish delight*, que nem você mesma se lembra de onde o havia colocado”, Johnny lhe disse. “Revirei o armário inteiro até achar a caixa na prateleira de baixo, do lado direito.”

Nós todos devoramos o *Turkish delight*, e eu disse que estava com sede.

Johnny subiu e voltou com duas garrafas de soda.

Depois de bebermos, nós, as crianças, abrimos o berreiro porque queríamos fazer xixi.

Johnny subiu e voltou com um penico, e fizemos fila para urinar. Quando as crianças acabaram, foram os adultos que entraram na fila do penico.

No dia seguinte, à noite, quando o alarme tocou outra vez, papai nos disse que era preferível que ficássemos na nossa agradável cama em vez de passarmos a noite toda procurando o penico. Para a nossa sorte, a guerra terminou após alguns dias e voltamos a ouvir as histórias de Rose antes de dormir, até que Johnny ganhou o bastante como estivador para levar a mulher e a filha a outro apartamento, para que pudesse continuar a espancá-las sem que papai ficasse o tempo todo atrapalhando.

Durante a lua-de-mel na Grécia, ela só desejava telefonar à irmã para contar as experiências pelas quais estava passando.

"Estivemos em um hotel num penhasco sobre o mar, onde todos os que haviam assinado o livro do hotel eram atores famosos de cinema. Vi a assinatura de Paul Newman e Glenda Jackson", ela contou emocionada à irmã pelo telefone. "A verdade é que meu coração fica apertado. Uma noite no hotel custa o salário que papai ganha em um mês."

"E por que o seu coração fica apertado?", a irmã perguntou.

"Porque ficamos seis noites e eu não consigo parar de pensar o que papai e mamãe poderiam fazer com uma folga de dinheiro equivalente a meio ano de trabalho."

"Você vai se acostumar", a irmã lhe informou, como se fosse uma grande entendida da vida abastada.

"Você sabe quanto custou um retrato que o fotógrafo do hotel tirou de nós – o casal recém-casado em lua-de-mel?"

"Quanto?", a irmã estudante, com suas dificuldades financeiras, ficou interessada.

"O preço do seu vestido de noiva."

"O que você está dizendo? Pelo menos o retrato é colorido?"

"Preto e branco. Mas é grande. Nós o colocamos numa moldura de prata na sala."

"E quanto custou a moldura?", a irmã perguntou.

"O preço do seu casamento inteiro", ela respondeu.

"Que simpático", a irmã respondeu. "Você vai ver só como acabará se acostumando."

"Vou me acostumar com o quê?", ela perguntou à irmã.

"Com a boa vida", respondeu. "O principal é que você se comporte e não faça vexame", acrescentou.

Depois da lua-de-mel eles aterrissaram em Barcelona e foram direto para um apartamento gigantesco no quarto andar, com parquete de parede a parede. O tio dele e a esposa italiana Paula, com os dois filhos do casal, moravam em cima, no quinto andar. O apartamento estava vazio para que o mobiliassem juntos, e ele mostrou com orgulho onde havia planejado fazer a sala, a sala de jantar, o dormitório e o escritório dele, e ainda havia mais dois quartos que se destinavam a hóspedes de Israel, e talvez também para os seus filhos, quando nascessem.

Quando ela viu o quarto que seria, segundo ele, o dormitório, um quarto gigantesco onde era possível andar de patins, comentou que na sua opinião o espaço era muito grande, sem nenhuma intimidade, e que o quarto contíguo, que ele havia planejado para fazer seu escritório, era perfeitamente adequado para ser o dormitório.

Também não gostou do projeto da gigantesca sala, dividida em dois ambientes de tamanho desigual. Ela justamente achava o contrário dele, que o ambiente menor seria mais adequado para sofás e televisão, ao passo que no maior poderia ficar a mesa de jantar, onde pretendiam receber a família e os amigos.

Ele não concordou com ela e, como prova de que estava enganada, levou-a ao quinto andar e mostrou que na casa do tio a sala ficava no ambiente maior e o dormitório do casal era o quarto maior. Mostrou também que o quarto menor era do filho Roberto e o menor ainda, da filha.

"E daí?", ela disse. "Eles têm filhos."

Paula a levou até a cozinha e tentou convencê-la de que o projeto dele combina com o esquema das casas de Barcelona. Mas quando percebeu que ela não concordava, encerrou o assunto com uma frase: "É assim mesmo que acontece nos casamentos."

"Não precisa ser assim. Eu também tenho a minha opinião", ela continuou teimando.

"Mas essa é a profissão dele. Estudou cinco anos para isso", Paula tentou convencê-la outra vez.

"E daí? Sou mulher e sei o que me agrada e o que não", respondeu, pensando consigo mesma se Paula não a estaria considerando uma atrevida, pois havia sido levada a um apartamento tão luxuoso e continuava teimando em não acatar a opinião da maioria a respeito da localização do seu dormitório e da sala, discordando de todos, apesar de sua irmã haver pedido para que se comportasse bem.

Discutiram o assunto durante uma semana até que ele acabou cedendo, quando ela lhe disse que ficava um pouco perdida nesses espaços tão grandes e que precisava, pelo menos no seu quarto, sentir algum aconchego.

"Não estou acostumada a um quarto de dormir com trinta metros quadrados", ela explicou. "Meu quarto era uma varanda fechada com persianas, medindo um metro e meio por dois, no máximo, e a nossa sala era a quarta parte do tamanho deste quarto", ela comentou e acrescentou que estava acostumada ao calor humano dos pequenos espaços. Ele, então, concordou com o pedido dela.

Quando ela desceu pelo elevador e o porteiro uniformizado se levantou na sua direção, apressando-se para chegar antes dela à entrada da portaria para lhe abrir a porta de saída, ela se sentiu terrivelmente confusa e disse em espanhol que podia abrir a porta sozinha sem problemas, mas ele sorriu educadamente e continuou segurando a porta aberta. Quando voltou ao prédio, com as sacolas de compras que havia feito no *El Corte Inglês*, o porteiro pegou as sacolas e se apressou para chegar até o elevador, para que ela não precisasse ficar esperando, e ela ficou imaginando o que seus pais diriam ao ver o educado porteiro tratando-a como se fosse uma princesa.

Mas à noite, durante o jantar na casa dos pais dele, quando lhes contou do seu espanto pelo porteiro ter aberto a porta para ela como se fosse seu empregado, o sogro a censurou, dizendo que este era o trabalho dele, que ela precisava se adaptar à vida em Barcelona e comportar-se como uma *lady*, em vez de confundir o porteiro, impedindo que cumprisse com a sua obrigação.

Mas ela cometeu outra gafe. Quando a mãe dele lhes cedeu Laura um dia na semana para que limpasse a casa e cozinhasse o que fosse preciso, ela não concordou que a empregada também cozinhasse. Era-lhe suficiente que Laura limpasse a casa. E, ao convidá-la para se sentar com eles à mesa para comer o almoço que ela havia feito sozinha, sentiu que Laura não conseguia engolir nada quando estava diante deles à mesa. Eis que ela também a estava deixando confusa.

Uma noite, os pais deles comunicaram que pretendiam festejar o casamento também em Barcelona, num salão suntuoso, com todos os amigos judeus da comunidade. Ela perguntou aos sogros se não era estranho festejar duas vezes, e eles explicaram que toda a comunidade estava esperando para festejar com eles essa alegria e trazer presentes de casamento.

Como era costume nos casamentos em Barcelona, fizeram uma lista de presentes numa loja muito conceituada na cidade, onde havia todos os artigos necessários para uma casa, e os convidados do casamento escolhiam, na lista que o jovem casal havia feito a seu gosto, o presente adequado ao seu bolso. Dessa forma lógica, todos ficavam satisfeitos. Em vez de dar um cheque que você nunca sabe se é suficiente ou não, e que fica no meio das pilhas de cheques dos outros, você escolhe algum item da lista a seu gosto e ao gosto dos noivos, e assim eles recebiam um presente personalizado de cada convidado. De toda a magnífica lista de presentes que fizeram e que graças a qual montaram a casa toda, desde a geladeira e sofás da sala até à torradeira, ela havia escolhido na luxuosa loja de Barcelona uma balança de banheiro. E quando o homem, seu marido recente, disse-lhe que esse era um presente muito barato e quem, diabos, iria escolher uma balança para dar de presente, ela riu e disse que quem quisesse equilibrar a vida dela.

"Mas na verdade", ela respondeu com sinceridade, "com uma balança em casa me sentirei uma mulher rica. Como quem se pesa a hora que quer". Foi justamente a balança barata numa loja conceituada que lhe refletiu sua nova condição social, um tipo de luxo que não é essencial, mas desejado.

A balança permaneceu na loja quase órfã, até dois dias antes de se casarem pela segunda vez em Barcelona, até que Kushi chegou de surpresa, fazendo uma parada a caminho dos Estados Unidos para vê-la, e escolheu a balança de banheiro. Quando ela lhe perguntou por que havia escolhido a balança, ele respondeu:

"Minha querida, para quem cresceu em Wadi Salib e se casa com um rapaz de Barcelona, uma balança representa o auge da riqueza. É o máximo da esnobação. Acho que combina com você dizer todas as manhãs: 'Ei, tenho uma balança só minha. Não preciso mais nada de ninguém'."

"Não sei como você me interpreta sempre corretamente", disse ao amigo. "Então, você não está mais com raiva de mim?", ela perguntou, referindo-se ao fato de ter se deitado com o irmão dele na Guerra do *Yom Kippur*.

"Nunca senti raiva de você", ele respondeu, sabendo exatamente a que ela se referia. "Simplesmente não entendi por que você fez o que fez, e jamais entenderei", ele disse, e não quis mais falar no assunto.

A irmã dela com o marido também fizeram uma parada em Barcelona antes de voarem para Nova Iorque para continuarem os estudos, e ela confessou à irmã na cozinha da sua luxuosa casa que estava começando a se sentir um pouco perdida.

"Simplesmente você não está acostumada a ser uma mulher casada", a irmã explicou, antes de deixá-la ali com a nova família em Barcelona.

Elas passaram a se corresponder, e a irmã não esquecia de lhe ensinar bons modos em todas as cartas, como, por exemplo, comer com a boca fechada, mastigar antes de engolir, segurar a faca com a mão direita e o garfo com a esquerda, e não confundir os talheres de peixe com os de carne.

"Você acha que o frango assado no meu prato vai se ofender se eu cortá-lo com a faca de peixe?", escreveu à irmã.

"O frango assado, não, mas o seu sogro e a sua sogra, sim", a irmã mais inteligente do mundo respondeu.

Em outra carta, contou à irmã sobre a entrevista de trabalho que havia tido com o arquiteto Coudrec. "Esse é o arquiteto mais conceituado em Barcelona", ela escreveu. "Então o filho dele me explicou que para ser aceito no trabalho", é preciso manter a ordem e a limpeza. Entende? Ele não perguntou se sei desenhar e quanto tempo de experiência eu tenho. Ele só se interessou em saber se sei manter a ordem e a limpeza. O que eu sou, afinal? A faxineira ou a desenhista? Ele explicou que no final do dia deve-se limpar cada desenho com dois tipos de borracha, e depois com benzina e algodão, enrolar até o dia seguinte e estendê-lo novamente sobre a mesa.

Ela se lembrou do bondoso John, da Bolívia, que sabia desenhar melhor que todos na classe. Ele tinha um talento nato para a profissão, enquanto ela havia aprendido por necessidade. Conheceu John na escola de engenharia quando estudava arquitetura, e ele falava muito pouco hebraico. Então ela decidiu reunir na sua casa alguns estudantes da América do Sul e um de Istambul chamado Moshe, e, antes das provas, lia para eles a matéria em hebraico fácil.

John morava em um apartamento alugado em Haifa, partilhando as despesas com uma moça da Colômbia que havia imigrado a Israel depois que o irmão mais jovem foi seqüestrado pelo governo de lá e jamais entregaram o corpo. Ela gostava de ir ao apartamento alugado de John que era decorado com muito bom gosto e, enquanto ele preparava uma sopa de tomates de saquinho, ensinava a ele palavras em hebraico e ele ensinava a ela espanhol. Ela nem imaginava que algum dia usaria esse idioma com um outro homem.

Uma vez a cada duas semanas iam a Tel-Aviv para visitar a mãe dele e a irmã mais nova. Gostava de ver como ele olhava para a mãe com compaixão, porque havia sido abandonada pelo marido e trocada pela jovem secretária. John sentia muita raiva do pai e muita compaixão e ternura pela mãe e pela encantadora irmã.

Depois, quando ela decidiu estudar na Universidade de Jerusalém, apesar de não ter sido aceita, John a ajudou a procurar apartamento porque compreendeu que ela precisava de uma mudança. Os preços estavam altíssimos. Até que acharam um apartamento em Beit Hakerem, com duas moradoras, que alugaram a sala aberta, sem portas, a um preço baixo, justamente porque não tinha privacidade. Ela assinou o contrato e John comprou uns tapumes e construiu uma divisória com uma porta, e assim, na verdade, ela ganhou o melhor quarto do apartamento por um preço irrisório. Quando as duas viram o quarto espaçoso que ficou só para ela, argumentaram que era preciso dividir o valor por igual, mas ela lhes disse que ficassem na delas, enquanto abanava o contrato com a mão.

Combinou com John que, caso decidisse permanecer em Jerusalém, ele se mudaria para lá depois de algum tempo; enquanto isso ela começou a trabalhar no escritório de Akershtein e ia às sextas-feiras para Haifa visitar seus pais e John. Quando ele quis ir para Jerusalém atrás dela, como haviam combinado, ela já havia conhecido o homem de Barcelona que lhe trombeteou no ouvido em inglês.

Ela ficou pensando que se John soubesse trombetear em inglês talvez não o tivesse abandonado, mas depois reconheceu que John era pequeno e magro, quase da sua altura, e quando a envolvia com os braços era como se um menino a abraçasse, e não um homem, como ela queria. Vai explicar para uma jovem de vinte e dois anos que um homem alto que fala espanhol da Espanha não é mais homem do que John que é baixo e fala espanhol da Bolívia.

"Você foi aceita para trabalhar no escritório de Coudrec?", a irmã se interessou numa carta de Nova Iorque para Barcelona.

"Fui", ela respondeu à irmã, "não antes de perguntar a ele se eu precisaria trabalhar com uma máscara verde no rosto, como os cirurgiões. Pelo visto, foi o meu atrevimento israelense que lhe agradou, porque ele começou a rir".

"Então, está tudo bem", a irmã respondeu. "O que você faz com o dinheiro?"

"Economizo para tempos difíceis e mando um pouco para papai e mamãe, para casa."

"Por que você se incomoda tanto?", a irmã lhe disse. "Você sabe que eles não vão tocar no seu dinheiro."

Eles entraram na rotina em Barcelona: pela manhã trabalhavam, às duas da tarde ele ia pegá-la para o almoço na casa dos pais, até que ela se rebelou, e eles combinaram que comeriam em casa duas vezes por semana. À tarde, ele se ocupava com seu projeto de final de curso, que demorou longos meses para ficar pronto, e ela não conseguia evitar compará-lo com a irmã, que havia concluído o seu projeto final no *Technion* em dois meses.

Toda vez que ela queria fazer alguma outra coisa com seu marido à tarde, ele argumentava que não podia se permitir abandonar o trabalho de finalização e pedia que ela não o seduzisse com outras coisas. Às vezes ela saía com Mercedes, a amiga espanhola, de quem gostava muito. Às vezes, com alguns amigos do trabalho, mas a maior parte do tempo passava com Paula e os filhos, ou com seus sogros, porque apenas uma vez por semana ele se permitia sair com os amigos.

A mãe dele havia lhe ensinado a cozinhar uma variedade muito grande do que sabia fazer e dividiu com ela todos os segredos do cardápio. Com o tempo, ela passou a cozinhar tão bem, que às vezes convidava os sogros e todos os tios à sua casa para refeições, recebendo muitos elogios pelas suas comidas. Quando convidou Ruth e o marido e lhes serviu salada de berinjela com muito alho, e folhas de parreira recheadas com carne e arroz, acompanhadas de iogurte, ele imediatamente disse que sempre soube que ela seria uma boa dona-de-casa.

"Como você sabia?", ela perguntou, encantada.

"Porque seus olhos revelam tudo", ele respondeu, "e principalmente porque tenho um olho no dedo e passeio com ele nos lugares mais baixos e nos mais altos", disse rindo, e ela respondeu que não existia uma só mulher romena que não soubesse cozinhar, pois era uma qualidade nata.

Rumi

Ao inferno. Na próxima sexta-feira é a vez de jogar rúmi na casa da família Marcovitch.

Odeio ir para lá. Eles moram tão longe! E se papai perder nas cartas, não vai ter vontade de me pegar no colo, e estou farta. Estou farta de ficar me arrastando com eles às duas da manhã por causa desse idiota revezamento de casas para o jogo de cartas.

Por que não pode ser toda sexta-feira só na nossa casa?

Só porque Fila tem medo de ficarmos sozinhas em casa eu preciso ir atrás deles? Não tenho medo de ladrões. Afinal, o que eles podem roubar na nossa casa além do nosso rúmi de pedras, que são mais polidas e brilhantes do que todas as pedras dos outros?

Eu disse à minha irmã que não iria ao rúmi na semana seguinte na vez da família Marcovitch. Principalmente depois do que nos havia acontecido com a filha deles, Penina, e pedi à minha irmã que também ficasse em casa comigo. Fila prometeu que seria só esta vez e pronto, e papai disse a ela que no sábado pintaríamos o rúmi.

Penina, a filha dos Marcovitch, tinha um metro e setenta de altura já aos doze anos, o que lhe causava complexos de inferioridade muito sérios. Por causa da altura e das feridas no rosto. Para disfarçar as feridas Penina passava pó-de-arroz quando saíamos, no quartinho da escada, para que os pais dela não vissem, e com aquela altura toda e o pó-de-arroz, ela ficava parecendo ter dezesseis anos.

Penina se esforçava muito para agradar aos meninos, por causa de seus complexos de inferioridade e também porque seus pais realmente não gostavam de sua única filha.

Na última vez que fomos lá, minha irmã disse a papai que não desceria com Penina para brincar de esconde-esconde porque ela, de qualquer maneira, não brincava conosco. Mesmo assim, mamãe convenceu minha irmã a descer à rua, se não a "pequena", quer dizer, eu, iria ter um ataque de tédio de ficar olhando-os jogar rúmi. Penina também aderiu imediatamente ao coro que pressionava minha irmã, pois sabia que seus pais não a deixariam descer sozinha e queria demais ser um pouco aceita. Minha irmã acabou concordando, sem nenhuma vontade, e ficou com raiva de mim porque só por minha causa precisávamos descer.

"E é só por sua causa que nós estamos aqui", respondi prontamente, tapando-lhe a boca com esse comentário.

Saímos da casa deles e Penina, antes de tudo, ficou no quartinho da escada uma hora inteira se maquiando para disfarçar as feridas, enquanto eu precisava ficar o tempo todo acendendo a luz, que se apagava automaticamente.

Quando saímos à rua, imediatamente vieram nos cercar, ou mais exatamente, cercar Penina, uns quatro garotos grandes de dezesseis anos.

Sugeri brincar de pique, e não entendi por que me olharam com tanto desprezo, dizendo que pique é uma brincadeira para crianças de cinco anos.

"Tenho oito e meio e adoro brincar de pique", protestei, mas eles só queriam brincar de esconde-esconde, e Penina deu razão a eles, dizendo que pique era brincadeira para criancinhas. Desisti do pique e disse que brincaria de esconde-esconde com a condição de que fosse eu a procurar.

Fiquei perto da parede contando um, dois, três, até cinqüenta. Abri os olhos e comecei a procurar a turma. Achei minha irmã em um segundo, porque ela sempre tinha medo de se afastar e também tinha medo de lugares escuros.

Começamos a procurar Penina juntas e não a achamos. Fomos até o terreno baldio e abandonado, onde geralmente não nos atrevíamos a circular, ouvimos então uns sussurros e vimos, no canto da rua, os quatro meninos em volta de Penina acariciando-lhe os seios.

Ficamos de lado para que não nos vissem. Agora nós é que nos escondíamos deles. No início pensamos que ela estava rindo com eles e decidimos voltar para casa sem ela.

Mas quando nos viramos para irmos embora, nós a ouvimos chorar, dizendo: "Larguem-me".

Eles a arrastaram até uma camionete que estava no terreno e um deles ficou de guarda do lado de fora. Fila me disse para irmos depressa para casa chamar os pais de Penina, e eu respondi que eles, com certeza, dariam uma surra nela quando vissem que ela andava por aí com esses malandros.

"Vamos falar com eles", eu disse à minha irmã mais velha, e a puxei à força atrás de mim.

Aproximamo-nos do menino que estava do lado de fora e, para a nossa grande alegria, vimos que se tratava de Iaakov, o filho da família Abass, que morava na nossa rua.

Eu disse a ele que fosse imediatamente falar para os amigos largarem Penina e deixá-la ir, e ele perguntou: "Por quê?"

"Porque se não, vou contar ao seu pai que você roubou chicletes na quitanda de Avraham, e seu pai vai matar você de tanto bater com o cinto. Mais forte do que sempre."

Iaakov acabou se convencendo, pois todo mundo sabia que o pai dele tinha muito amor próprio e não admitia que seus filhos roubassem.

"E fora isso, vamos agora mesmo até a polícia", minha irmã, de repente, tomou coragem.

Iaakov ficou mais assustado quando pensou na surra que receberia do pai do que com a ameaça de chamar a polícia, então entrou na camionete e tirou de lá Penina, que chorava.

"Todo o seu rímel está escorrendo pelo rosto", eu disse, para fazê-la rir, mas ela não parava de chorar.

Ela não precisava nos dizer para não contarmos nada aos seus pais. Era óbvio que não a denunciaríamos. Minha irmã contou apenas para papai, e somente depois de ele ter prometido que não revelaria o segredo aos pais de Penina. E, realmente, ele não contou nada, pois sabia que a coitada receberia de novo uma surra, e papai odiava pessoas que batiam nos filhos.

Quando Penina terminou a escola fundamental, a mãe a colocou para trabalhar como secretária. Minha mãe discutiu com a mãe de Penina, dizendo que ela devia mandar a filha prosseguir com os estudos ou, pelo menos, estudar secretariado, mas a mulher disse que já havia sustentado a filha até os quatorze anos e que era o suficiente. Disse que havia chegado a hora de Penina se sustentar sozinha, arranjar um noivo e sair de casa. Além do mais, o segundo grau custava uma fortuna, ou seja, além de não entrar um dinheiro adicional em casa, seria preciso se apertar durante mais quatro anos para que a sua incompetente menina encontrasse um noivo mais culto. E quem garante que encontraria mesmo um noivo melhor? Existe alguma coisa confiável nessa vida?

"Veja você", disse a mãe de Penina à minha mãe. "Você é técnica em contabilidade, e que vantagem teve de toda essa cultura? Aqui em Israel você trabalha no serviço doméstico para sustentar a família, isso é vida?"

Mamãe disse que isso não lhe importava. Com toda a certeza iria mandar Iosefa ao segundo grau. Quanto a mim, não tinha certeza ainda.

"Mas cá entre nós, ela é bonita, vai saber se virar", sussurrou à mãe de Penina.

"Mas você sabe que a sua Penina...", e mamãe fez um gesto com a mão como se dissesse "mais ou menos". "Penina precisa pelo menos de uma profissão", mamãe acrescentou.

Nesta sexta-feira é a nossa vez no rúmi. Adoro quando a vez do rúmi é na nossa casa. A casa inteira fica agitada e, com a emoção de jogadores de peso, minha irmã e eu arrumamos as três mesas para os respeitáveis convidados. Estendemos as toalhas verdes de jogo que papai trouxe da Romênia e pegamos as cadeiras vermelhas de tia Lutchi. Depois ajudamos mamãe a preparar a comida. Sanduíches variados com queijo cascaval e azeitonas pretas, berinjela romena vermelha com muito alho, *icre*, que papai havia preparado sozinho com cebola picadinha para acompanhar, com fatias de pão de shabat. Queijo búlgaro salgado com rodelas de tomate em cima para reduzir o sal. Às vezes também burecas com ovo cozido, frutas, e, óbvio, o maravilhoso *cozonac* de mamãe.

Eu até renuncio às brincadeiras lá embaixo na quinta-feira, quando é a nossa vez do rúmi, para ajudar mamãe com o *cozonac.*

Mamãe separava a gema da clara, com muita rapidez para não romper a gema e não entrar nenhuma gota amarela no branco, pois isso podia impedir que a clara chegasse ao ponto de neve, que era tarefa de papai, e em seguida retirava o resto de clara do fundo do ovo com o dedo, até que a casca ficasse brilhando, completamente vazia. Nenhuma gota de clara era desperdiçada. Até mesmo quando preparávamos só um ovo frito ou uma omelete, colocávamos o dedo e retirávamos a clara até o final da capacidade do ovo.

A massa crescia a noite toda, enrolada em duas camadas de toalha, como uma criança que não podia sair de casa com a cabeça molhada depois do banho. O pacote enrolado ficava no lugar mais quente da casa, ao lado do fogareiro. Quando a massa ficava três vezes maior, nós a esticávamos juntas, acrescentávamos o recheio gostoso que mamãe havia preparado com cacau, açúcar, canela e nozes moídas. Tentávamos evitar as passas, pois não gostávamos.

Colocávamos com cuidado a massa enrolada com o recheio numa forma redonda com furo e juntávamos as duas pontas. Mamãe cobria a forma com a tampa, pois toda panela tem uma tampa, e novamente esperávamos algumas horas para que a massa crescesse. Só então mamãe colocava no fogo e nós ficávamos por perto, examinando a cada cindo minutos se o bolo estava crescendo como devia, aspirando o cheiro mágico de *cozonac.*

Quando as visitas chegavam, mamãe ia logo lhes empurrando direto na mão (ainda bem que não era na boca) *dulceata* para abrir o apetite. Como se você conhecesse muita gente com o apetite fechado, além dos anoréxicos. *Dulceata* com um copo de água fria. Em pequenas e bonitas vasilhas de cristal que trouxeram da Romênia, mamãe colocava esse doce tão doce, geléias que ela havia preparado sozinha, muitos dias antes, e servia com um copo de água fria para forrar o estômago.

Não havia uma só casa romena decente que não servisse *dulceata*, e eu sempre recusava. Não concordava nem em provar.

"Pelo menos, prove, se não, como você vai saber que não gosta disso?", papai tentava me convencer.

"Eu sei que é marrom", respondia, recusando-me a tocar.

Quando os jogadores se sentavam para jogar, nós ficávamos do lado, examinando bem as cartas de todos.

Eu gostava de me sentar ao lado de papai e aprender a jogar com ele. Papai gostava de arriscar e, assim, sempre havia suspense do lado dele. No fim da noite papai e mamãe contavam o dinheiro que tinham. Geralmente eles saíam equilibrados entre o jogo contido de mamãe e as apostas de papai, e na maioria das vezes havia mais ganhos do que perdas, o que muito nos alegrava, a mim e à minha irmã.

Por volta das dez da noite era servida a comida. Minha irmã e eu esperávamos por esse momento por seis semanas, até que chegasse a nossa vez no revezamento, pois quando papai e mamãe se levantavam da mesa para os últimos preparativos, nós os substituíamos no jogo. Jogávamos no lugar deles com dinheiro de verdade, não de mentirinha, e tudo o que ganhávamos era nosso. E o que perdíamos era por conta dos nossos pais. Até mesmo no jogo de cartas papai e mamãe confiavam em nós, sabendo que não iríamos perder.

Isso permanecia aproximadamente por meia hora, até que a comida era servida nas mesas, e nós aproveitávamos esse tempo até o final. Quando ganhávamos, as visitas ficavam reclamando que dizíamos uma para a outra na língua do P que cartas cada uma de nós estava precisando. Era mentira, mas estávamos acostumadas a ouvir mentiras dos adultos, quando eles queriam salvar a sua honra. Por isso não nos importava, o principal era vencer.

Depois da comida e depois que retiravam os pratos, ainda tínhamos alguns minutos para jogar, enquanto papai preparava o café forte que só ele sabia fazer. Só quando ele se sentava e a cafeteira já estava no fogo é que mamãe corria até a cafeteira para salvar, quem sabe, duas colherinhas de café seco para devolver ao saquinho, que papai havia colocado a mais, antes que o café começasse a deslizar lentamente no líquido borbulhante.

Depois do café, papai voltava a jogar e a ganhar, e eu ficava feliz por ele estar de bom humor. No sábado de manhã minha irmã disse a meu pai que ela poderia ficar comigo em casa na próxima sexta-feira, se ele a deixasse pintar sozinha o vermelho e o amarelo no rumi.

"Que ela pinte só o preto e você, o verde", minha irmã tentou ganhar o máximo possível na negociação com meu pai.

"Por que duas cores para ela e só uma para mim?", reclamei imediatamente. "Então, pelo menos, me deixem pintar os números altos."

"Isso não é por números, sua boba. É por cores", minha irmã me interrompeu. "E só tem quatro cores."

Papai me chamou de lado e perguntou se eu queria ir com eles à casa da família Marcovitch na próxima sexta-feira.

"Você sabe que não", fiquei irritada.

"Então dessa vez você deixa para a sua irmã, e na próxima vez você vai pintar mais do que ela", papai acabou me convencendo. O que, no final das contas, se revelou incorreto. Também na vez seguinte minha irmã pintou duas cores e eu, só uma.

"Então eu pinto o verde e você o preto", pechinchei com papai. Não gosto de preto. Além disso, eu não queria pintar o preto só porque minha irmã havia dito que essa era a cor que eu devia pintar. Eu sempre fazia desaforo para ela, a minha irmã, para que não se achasse a maioral só porque era mais velha do que eu um ano e oito meses.

"Por que você não gosta de preto?", papai me perguntou.

"Porque as pessoas que vestem preto estão sempre tristes", arranjei logo uma desculpa, "tão tristes como vocês ficaram quando vovó morreu".

Para que não brigássemos, papai deixava que pintássemos a cada dois meses as pedras do nosso rumi, apesar de que era suficiente pintar uma vez a cada meio ano. Pois o rumi dos romenos não era feito só de cartas, como o dos poloneses, mas de pedras pintadas com números que desbotam. Temos dois jogos de pedras boas da Romênia, não dessas vulgares que se compram em Israel. São mais pesadas, como se fossem pedras muito melhores.

Papai deixava as pedras durante toda a noite mergulhadas em água quente com sabão. Pela manhã, quando nos levantávamos, as pedras estavam macias e descoloridas, prontas para serem tratadas. Nós as enxugávamos bem, pegávamos um pincel fino e abríamos com cuidado os quatro frascos de tinta: vermelho, verde, amarelo e preto. Molhávamos o pincel na tinta, só um pouco, para não escorrer, e pintávamos os números da pedra, cada uma com a sua cor, para devolver ao rumi a cor da face. Quando a tinta secava, raspávamos com cuidado a tinta que sobrava nas beiradas com a lâmina de barbear e políamos a pedra com um pouco de benzina, para lhe restituir seu brilho natural.

Só em nossa casa as pedras de rumi eram brilhantes e pareciam novas, porque minha irmã e eu sempre brigávamos para ver quem ia pintar mais números.

Quando o marido dela se permitia deixar um pouco de lado o projeto de finalização de curso por algumas horas para que ela arejasse, eles iam visitar uns amigos dele que a deixavam entediada. Principalmente Jacob, que era um judeu rico de berço e, também, de seus próprios e numerosos negócios. Estava sempre vestido na última moda, sem nenhum cisco no terno escuro que usava, sempre com a gravata combinando. Quando foram à casa dele, também estava vestindo terno, como sempre, e sua mulher, que era muito parecida com Jacqueline Kennedy Onassis, como duas gotas d'água, também se vestia bem, como convinha à esposa de um homem como ele. A casa deles era toda mobiliada com couro branco e dava até medo sentar no sofá com o risco de sujar. Seus filhos jamais tinham permissão de se sentar na sala para não sujar. Eles só podiam brincar nos seus quartos e, mesmo assim, só das cinco às seis horas. Depois disso era banho e jantar, que comiam com a babá na cozinha, porque não permitiam que se sentassem na sala de jantar ao lado da sala branca. Ela ficou pensando como essas crianças ricas devem ser infelizes por crescerem numa casa toda branca, sem poderem tocar em nada, vivendo num regime de ferro como num internato militar.

Depois de um ano de permanência em Barcelona, o homem lhe informou que em *Pessach* iriam para Israel, para uma visita.

Ela ficou feliz, mas foi logo comunicando que pretendia passar a noite de *Pessach* com os pais.

“Mas queremos ficar com minha irmã”, ele disse.

“E eu quero ficar com os meus pais”, ela disse. “Não vejo problema em você ficar em Jerusalém e eu em Haifa.”

Ele olhou para ela desconcertado, sem entender como ela podia sugerir uma coisa como essa, na noite de *Pessach* da família. “Você é minha mulher e quero que fique comigo”, ele disse.

“Antes de ser sua eu já era de meus pais”, ela disse como uma criança pequena, mas por fim acabou concordando em passar a noite de *Pessach* em Jerusalém e ir ver os pais no dia seguinte. Ela ficou imaginando que, se fosse de outra forma, seus pais ficariam ansiosos para agradar seu marido rico e passariam dos limites para impressioná-lo.

A primeira coisa que perguntou aos pais foi como estava Batia.

“Como devia estar?”, a mãe lhe respondeu, sem olhar para ela diretamente.

“Já escrevi três cartas e ela não respondeu, e não pude telefonar porque perdi o número do telefone.” Aproximou-se do telefone e pediu ao pai o número de Batia. Ele a olhou, confuso, e disse que Batia havia morrido há dez meses. Um pouco depois do seu casamento descobriram que estava com hepatite viral e, em um mês, foi-se deste mundo.

“Por que não me contaram?”, perguntou, e seus pais disseram que não queriam machucá-la, sabendo que seria melhor que tivesse essa amarga notícia quando chegasse ao país. Não precisavam ficar enviando mensagens dolorosas até Barcelona. "Como se morre de hepatite tão depressa?", perguntou ao pai, desolada, enquanto o marido segurava a sua mão, com muita força.

"Não está muito claro. Ela morreu tão rápido", o pai lhe disse.

"Com certeza tem a ver com as pancadas de morte que recebeu do pai durante toda a vida. E como Johnny reagiu a isso?", ela perguntou.

O pai olhou para a mãe, e esta lhe contou que Johnny havia se matado com um tiro sobre o túmulo da filha. "Ele, apesar de tudo, gostava dela", disse o pai.

"E Rose?"

"Continua contando histórias para quem quiser ouvir, e até para quem não quiser. Ela perdeu o juízo, um pouco. Vamos todas as semanas visitá-la e levar-lhe comida, porque se não fosse por isso morreria de fome."

A refeição transcorreu mergulhada em tristeza, e ela disse que precisava tomar um pouco de ar e saiu de casa. Pensou que se ficasse circulando no mesmo lugar em que havia encontrado Batia um ano antes, um dia depois do casamento, talvez até pudesse vê-la. Talvez não tivesse morrido. Ela não viu Batia, mas encontrou uma moça que havia estudado com ela na escola de engenharia. Esta lhe contou que John havia se casado e tido gêmeos, e que hoje estava vivendo em Londres, muito bem-sucedido na sua atividade de arquiteto.

"Sabe como é, a vida continua", disse com um tom irônico de alegria disfarçada.

"Não há dúvida", ela respondeu feliz com o fato de a vida de John ter tomado um rumo muito melhor sem a sua presença.

Apressou-se em voltar à casa dos pais, onde seu marido a esperava preocupado, e ela lhe pediu que trombeteasse em inglês no seu ouvido. Duas semanas depois, ficou feliz em voltar a Barcelona.

No verão, foram à cidade turística de Lloret, em Costa Brava, com Mercedes e Jorge, que ficaram felizes em passar as férias de verão com eles, na casa que era dos pais e do tio dele. Ela comeu *paella*, tomou sangria, descascou camarões, devorou lulas e todo tipo de mariscos, como se fossem sementes de abóbora. O marido dela havia se permitido deixar de lado o projeto de finalização de curso e aproveitou em sua companhia as férias inteiras de verão, fazendo-a se lembrar por que havia se apaixonado por ele. Seu marido lhe trazia flores na cama, sem mais nem menos, carregava-a nas costas tipo cavalinho pelas escadas íngremes da casa, que estava construída sobre a ponta da montanha. No mar, mergulhava sob ela e a erguia nos ombros, lançando-a para trás, direto na água. Eles andavam por ali e riam como crianças apaixonadas, e somente quando os pais dele chegavam para o final de semana, ele ficava sério de repente e voltava a ser o homem europeu e contido.

Em *Rosh Hashana*, no seu aniversário de vinte e cinco anos, o marido lhe fez uma surpresa e a levou ao aeroporto sem lhe dizer o motivo. Ela pensou que iriam a Roma ou a Paris, até que viu seus pequeninos pais chegando e se aproximando dela com as suas malas.

Sua mãe foi logo superando a culinária espanhola e preparou-lhes uma autêntica comida romena, que até os pais dele tiveram muito prazer em comer, depois de ela ter orientado a mãe a reduzir a quantidade de alho.

Ela sentiu imenso prazer em mostrar aos pais as maravilhas de Barcelona, e mais ainda em ver o prazer deles, apesar de sua mãe ter cuspido os mariscos, sem entender como a filha podia comer essa comida não *kasher*. A mãe apreciou muito a carne branca; o pai apreciou tudo, e ficava batendo papo com o porteiro do prédio dela.

Um mês depois, os pais dela viajaram a Paris, pois seu marido não queria apenas lhe fazer uma surpresa no seu aniversário, mas, na verdade, queria que os pais dela desfrutassem o grande mundo, e eles permaneceram uma semana inteira na casa dos tios do genro em Paris, que os levaram a excursões por toda a cidade. Os pais dela voltaram a Israel como se estivessem despertando de um sonho, e ela amou o marido ainda mais, por ter proporcionado isso aos seus pais.

Quando os amigos dela, Djindji, Amiram e Moshe se hospedaram em sua casa, o marido os levou a uma tourada e ela, a um parque de diversões e a Ramblas.

Mas, no inverno, quando todos voltaram a Israel e o marido retomou o seu projeto de finalização de curso por mais meio ano, ela se sentiu outra vez solitária e estranha.

Uma noite, foram convidados para comer na casa de Jacob e sua mulher. A refeição não tinha nada de especial, mas foi servida numa louça impressionante. Ela esperava que a sobremesa compensasse a refeição, quando a copeira entrou – pois na casa deles, era de fato uma copeira – trazendo quatro laranjas com casca e colocando uma em cada prato, como se estivesse servindo caviar russo. Ela olhou para a laranja e depois para Jacob, que pegava garfo e faca e descascava a fruta com uma habilidade surpreendente, e tudo isso só com garfo e faca. Ele não tocava a laranja com a mão e, depois de descascada, novamente usou a faca para cortar os gomos e comê-los com o garfo. O marido fez a mesma coisa, bem como a mulher de Jacob.

"Você não gosta de laranja?", perguntaram-lhe.

"É óbvio que sim, fui criada com laranjas", ela disse. Então pegou a laranja com a mão, descascou-a e comeu gomo por gomo com as mãos, sem tocar no garfo e na faca.

Quando os três ficaram observando em silêncio, ela disse:

"Comemos laranja com as mãos. Assim como frango. Só com as mãos. Aliás, como vão Mark e Gabi?", ela perguntou de repente, espantada por não ter visto os filhos do casal.

"Mark está no quarto dele, de castigo por duas semanas", Jacob respondeu.

"Por quê? O que ele fez?", ela sempre queria saber tudo.

"Ele entrou no nosso quarto e desmontou todas as gavetas do armário de roupas", Jacob disse, e ela ficou pensando que, ao que parece, o menino teve um ataque, e com motivo justo, mas ficou quieta e prometeu a si mesma que seus filhos seriam criados somente em Israel.

Quando saíram de lá, disse ao marido: "Veja só como são infelizes os filhos deles."

Ele não concordou com ela e disse que crianças precisavam de limites.

"Crianças precisam de amor", ela disse.

Ele concordou que talvez Jacob estivesse exagerando muito na educação dos filhos, mas tinha certeza de que Jacob gostava deles. Ela, no entanto, não tinha muita certeza disso, e ficou pensando consigo mesma que seria interessante saber se os filhos dele gostavam do pai. Lamentou por nunca ter perguntado a Batia se ela amava o pai, apesar de todas as surras que ele havia lhe dado.

"Quero voltar a Israel", ela disse.

"Aqui não está bom para você?", ele quis saber.

"Não tem nada a ver. Quero morar num apartamento pequeno em Tel-Aviv com quatro filhos que comam laranja com as mãos", ela disse, em vez de responder à pergunta dele, e mais tarde disse para a irmã ao telefone que estava se sentindo sufocada.

"Está sufocada com o quê?", a irmã perguntou, percebendo que ela estava angustiada porque havia telefonado, e não, escrito uma carta.

"Com as normas. Aqui há normas demais. Boas maneiras em excesso. Durante o dia inteiro preciso ficar pensando o que é permitido fazer e o que é proibido. O que é permitido para uma senhora fazer e o que é proibido. Não posso brincar com os donos da quitanda e, é óbvio, com o porteiro, porque sou uma senhora de respeito, e não é comum aqui que uma mulher de respeito brinque com as pessoas simples. O garfo e a faca me deixam nervosa, quando preciso usá-los para comer laranja. Laranja, entendeu? E as crianças aqui são profundamente infelizes."

"Você não está exagerando?", a irmã perguntou.

"Não estou exagerando nem um pouco. E estou começando a me sentir infeliz."

"Será que você não está simplesmente entediada?", a irmã disse.

"Pode ser", ela respondeu.

"Pegue um cachorro para criar, como eu fiz", a irmã inteligente aconselhou.

E foi o que ela fez. Comprou uma filhote de cocker spaniel encantadora e lhe deu o nome de Medi, que é o diminutivo de *meidele*, quer dizer, menininha. Agora ela tinha um motivo para sair por aí depois do almoço, com a sua cachorrinha filhote pelas ruas. Só os pais dele perguntaram para que ela precisava dessa carga.

"Gosto de cachorros", ela disse, "e, além disso, estou grávida", foi assim que ela anunciou sua gravidez a todos durante o almoço, depois que Laura trouxe a salada de alface.

O marido ficou olhando para ela, assim como o sogro e a sogra, e fez-se um profundo silêncio.

"Que beleza!", o marido disse. Ele se aproximou dela, abraçou-a e a beijou.

"Não é um pouco cedo?", Luna perguntou, enquanto o pai mantinha-se calado.

"Cedo para quê?", ela perguntou.

"Você sabe...", Luna gaguejou. "São jovens e ainda estão no início da carreira. Ainda não se estabeleceram", ela acrescentou.

"Nós nos estabeleceremos com filho e tudo", ela respondeu, olhando nos olhos silenciosos do sogro. "Nós dois trabalhamos, ganhamos bem", ela prosseguiu, tranqüilamente.

O marido continuava a abraçá-la e não dizia nada. Por fim, o pai dele disse que estavam casados havia apenas um ano e meio, e que era preciso considerar o assunto com seriedade.

"Você já tem um cachorro", acrescentou, como se dissesse 'para que precisa de um filho? Já tem um cachorro para se divertir'."

"Crianças gostam de cachorros", ela respondeu, e acrescentou que estava cansada e queria ir dormir.

À noite ela telefonou à irmã e depois aos pais, que gritaram de alegria com a notícia. Também Paula, a italiana, desceu afobada, dizendo que Luna lhe havia contado sobre a gravidez. Desejou-lhe uma boa hora e disse estar muito feliz por ela. Disse também que crianças são uma grande alegria e começou a explicar o que fazer contra os enjôos.

Mais tarde, Luna telefonou se desculpando pela reação fria que haviam tido no almoço e disse que o que ela decidisse estaria no seu pleno direito.

Ela disse à sogra que já estava decidido e que não mudaria de opinião.

À noite disse ao marido que ele tinha seis meses para concluir o seu projeto de finalização se quisesse ficar com ela, pois pretendia voltar a Israel, com a gravidez e com Medi, e esperava que também com ele. "Quero dar à luz em Israel, com meus pais e minha irmã ao meu lado", disse ao marido.

O dia do nosso orgulho nacional

Eu estava na varanda olhando como o pai de Iaakov batia nele com o cinto e fiquei com muita pena dele. Com certeza alguém o havia denunciado ao pai, contando que ele costumava roubar na quitanda. Minha irmã saiu à varanda com um copo de leite e disse que eu também precisava tomar leite.

Falei que não queria, e ela disse que eu era obrigada, se não, eu não iria crescer.

"E daí?", eu disse, e continuei sentindo pena de Iaakov por apanhar tanto do pai. Minha irmã disse que se eu não bebesse o meu leite ela derramaria o leite dela na minha cabeça.

"Vamos ver se você se atreve", respondi, e ela se atreveu, derramando todo o leite em cima de mim.

À noite tive febre alta, e mamãe falou à minha irmã que foi por causa dela, por ela ter derramado o leite em cima de mim. No entanto, pela manhã, no caminho ao ambulatório, mamãe me explicou que com certeza eu estava de novo com angina e que dissera à minha irmã que havia sido por causa dela, porque ficou irritada por ela ter desperdiçado um copo de leite.

No ambulatório havia uma fila imensa e recebemos o número dezoito, mesmo chegando tão cedo. Mamãe tentou mentir, dizendo que o número dela era nove, mas outra pessoa tinha o número nove e todos começaram a gritar com mamãe porque estava mentindo. Fiquei com muita vergonha.

Quando saímos de lá vimos um guarda, e ele me perguntou por que eu estava chorando. Contei a ele que estava doente e que tinha medo de não ficar boa até o dia da Independência.

Ele disse que eu ficaria boa com certeza, porque ainda faltava uma semana para o dia da Independência.

Por eu estar doente, papai me comprou um quadro-negro com giz colorido de presente, e minha irmã imediatamente chamou Tzila, Rochama e Linda, dizendo que ela era a professora e que ia nos ensinar a escrever nossos nomes em inglês.

Inglês é um idioma fácil de se escrever. Basta simplesmente fazer uns rabiscos em cima e embaixo, às vezes uns círculos, e o principal é que as letras são ligadas entre si, com um espaço regular entre as palavras, e pronto: você já tem o inglês. Muito fácil. Não é como hebraico, que é um idioma difícil.

Minha irmã escreveu o nome dela e pediu que, a partir de agora, nós a chamássemos de "Josefine", porque havia decidido trocar seu nome pelo da heroína do livro *Pequenas mulheres*. Minha irmã nos explicou que Josefine é o mesmo nome que Iosefa, que ela havia reduzido a Sefi, com a diferença que os personagens do livro não eram judeus, e nós, sim. Ela até nos obrigou a pronunciar o J de uma forma esnobe, como nos filmes americanos.

Papai explicou à minha irmã que os nomes não mudam e que ela tinha esse nome em homenagem ao avô Iosef. Falou também que eles não tinham nenhuma culpa por ela ter nascido menina e não menino, e que a memória do avô devia ser mantida. E de um modo geral, ele disse, os nomes devem ser bíblicos, sendo impossível inventar outros nomes. Minha irmã reclamou dizendo que, ainda que quisesse sempre ser especial e diferente dos outros, não precisavam ter dado a ela um nome de menino, porque era ela quem precisaria carregar esse nome por toda a vida, e não eles.

Tzila também quis ser a professora, mas minha irmã não deixou, porque o quadro era meu.

"Então eu quero ser a professora", eu disse logo, mas minha irmã argumentou que eu sofria de angina e que não podia falar.

À noite, depois que me obrigaram a comer sopa de galinha, mamãe se inclinou sobre mim e pronunciou sua oração mágica em iídiche, cuspiu em mim três vezes, tfu tfu tfu, e me fez repetir as palavras com ela, palavras em iídiche, que eu não entendia, e no final todos nós, inclusive papai e Sefi, devíamos dizer amém e amém por todo o povo de Israel. Quatro dias depois, a febre cedeu e pude ir às comemorações do dia da Independência, a nossa data mais importante.

Na véspera do dia da Independência subimos ao bairro de Hadar, à rua Herzl, para ver todas as crianças dos movimentos juvenis dançando *hora*, com muito orgulho no coração por termos conseguido o nosso próprio país, apesar dos opressores e apesar de todos os inimigos que nos rodeiam.

Fomos dormir cedo para não termos problema em acordar às cinco da manhã, no dia seguinte.

Nosso orgulho nacional, o desfile do Exército israelense, este ano, era em Haifa.

Um ano em Jerusalém, um ano em Tel-Aviv e o terceiro ano em Haifa.

Acordamos na hora certa. Mamãe e papai já haviam preparado os sanduíches, e nos apressamos para pegar um bom lugar no meio da rua da Independência, onde passaria o desfile do Exército às dez da manhã. Precisávamos estar na primeira fila, para que ninguém tapasse, à nossa frente, o orgulho nacional. Batemos palmas quando passaram os tanques e gritamos de alegria quando vimos nossos soldados tão altivos e bonitos. E vejam até onde chegamos, apesar de Hitler, que seu nome seja amaldiçoado para sempre, tfu tfu tfu – cuspimos três vezes, segurando o cabelo, esperando que o primeiro pássaro viesse nos salvar da maldição, Deus nos livre dela.

Pois toda criança pequena sabe que, quando você amaldiçoa alguém, para que a maldição ocorra, sem se voltar contra você, Deus o livre, é preciso cuspir três vezes segurando o cabelo e esperando até que apareça o primeiro pássaro.

Minha irmã, com toda a sua objetividade, me explicou que eu devia me esforçar em não amaldiçoar alguém antes de verificar se havia pássaros no céu, caso contrário, eu poderia ficar segurando o cabelo durante um dia inteiro ou, se não houvesse pássaros, acabaria ficando com a maldição. E tudo isso devia ser feito também quando se via um gato preto.

De repente, começou a chover torrencialmente e, mesmo que papai quisesse ficar até o final para ver o desfile do nosso orgulho, mamãe não permitiu, porque a minha febre da angina só havia passado uns dias antes.

Na sexta-feira, às oito da noite, no apartamento deles em Rishon Letzion, rompeu a bolsa. O homem ficou emocionado, e tudo começou a lhe cair das mãos enquanto tentava, com pressa, preparar a mochila com as coisas dela para três dias no hospital, o tempo estipulado para internação de maternidade. "Mas você ainda está no início do nono mês", disse, tentando esconder seus receios.

Ela pediu que lhe preparasse um copo de café e, sem nenhuma pressa, começou a guardar todas as coisas necessárias para três dias no hospital: chinelo, calcinhas, sutiã de amamentação, penhoar e pijama, porque odiava os pijamas do hospital, com pontinhos verdes. Se ao menos pudesse vestir os pijamas azuis dos homens, mas imaginou que no setor de maternidade dos hospitais não havia qualquer possibilidade de encontrar um pijama de homem. Ela juntou suas coisas, feliz. Feliz por estar indo dar à luz, e mais feliz ainda por antecipar em três semanas e meia o final de uma gravidez difícil e complicada.

Colocou na mochila a maquiagem, não antes de passar rapidamente um lápis preto que ressaltava seus olhos verdes e o batom que o homem mais gostava. Durante todo esse tempo, que durou aproximadamente dez minutos, ele lhe preparou um café enlameado, não como o verdadeiro café turco que seu pai preparava, e quando lhe serviu a xícara (quem, diabos, toma café turco numa xícara?), as mãos dele tremeram. Naquele momento, ela sentiu a primeira contração. Não foi tão fraca como haviam lhe garantido os mais experientes. Ao contrário, a contração foi tão intensa, que ela deu um salto na cama, ao lado da mochila pronta. O café derramou todo, transformando o edredom branco numa mancha marrom e escura. Ela ficou de pé ao lado da cama, segurando a barriga por causa das contrações, enquanto o homem pegava o edredom manchado e retirava dele a capa branca tipo fronha. No edredom, a mancha escura permanecia.

Não é um bom sinal, ela disse consigo mesma, assustada. Se pelo menos o copo tivesse quebrado, seria um sinal de boa sorte. Mas como não é da natureza da xícara quebrar com facilidade, só o café enlameado derramou todo, manchando o edredom branco que a mãe lhe havia dado como dote de casamento.

Ela chorava e ria ao mesmo tempo, ao lembrar que o homem havia trazido como dote o apartamento, o carro, os móveis, a televisão, a máquina de lavar roupa, a secadora, a máquina de lavar louça, os utensílios de cozinha e todo tipo de eletrodomésticos, e sua mãe lhe havia dado de dote o edredom branco, que havia comprado com o suor do rosto, limpando casas de estranhos no Carmel.

Chegaram ao hospital às nove da noite. Apesar de mais fortes as contrações, ela estava feliz em dar à luz na sexta-feira e começar a vida com Ana, o nome que decidiram dar à filha, como a rainha do shabat, com a presença divina pairando sobre eles. Disseram-lhe que andasse de um lado a outro para aumentar as contrações, mas ela estava sem dilatação. Com dois dedos é para voltar para casa.

Ela caminhou de um lado a outro pelos corredores compridos tão depressa, que o homem, com suas longas pernas, não conseguia segui-la. Ela havia desejado trazer Ana ao mundo enquanto reinava a presença divina, e os passos rápidos faziam parte da sua rotina diária com Medi, sua cachorrinha cocker spaniel.

"Onde está Medi?", ela perguntou ao homem, lembrando-se de que, com a tormenta do café derramado e as prematuras contrações, não havia se despedido de sua cachorrinha querida.

"Em casa", o homem respondeu.

"Como, em casa? Posso ficar aqui umas vinte e quatro horas." Não passava por sua cabeça que a criança pudesse ultrapassar este prazo.

"Então vou dar um pulo até em casa para descer com ela", o homem tentou animá-la.

"E vai me deixar aqui sozinha?", ela se assustou. "Onde está minha irmã na hora em que mais preciso dela?", murmurou consigo mesma.

"Em Nova Iorque. Você quer que eu telefone para a sua mãe?" perguntou, com a esperança de que ela dissesse não.

"Não", respondeu logo. "Não preciso dela aqui me estimulando em romeno." "Voy a dar la luz", disse a ele em espanhol a frase de que mais havia gostado quando descobriu que estava grávida. Dar à luz – que expressão bonita para descrever a maternidade, e prosseguiu com a marcha acelerada.

"Está correndo para onde?", perguntou o marido, seguindo-a com as compridas pernas. Quando a irmã dela esboçou o convite do casamento deles, desenhou longas pernas e uma cauda de vestido de noiva. "Venha, sente-se um instante. Você já está marchando há três horas. Tome o seu café", ele disse, segurando o copo de café que havia servido na máquina.

"Que horas são?", ela perguntou.

"Meia-noite e cinco", ele respondeu. "Sábado."

Ela concordou e se sentou para tomar com ele o café de shabat que ele havia servido na máquina. Ela gostava do café com leite dessas máquinas de hospitais. É a única coisa possível de se botar na boca em hospitais, pois todo o resto é completamente impossível de comer.

"Você sabe como é o nome em hebraico da máquina que caiu em desuso?", perguntou-lhe o homem, tentando distraí-la de outra contração muito forte, que quase fez com que ela perdesse a respiração.

"Contrações e mais contrações, e nada de dilatação", ela disse, decepcionada, e rapidamente acrescentou, "Engole putas".

"Quem engole?", ele estava concentrado na contração.

"A máquina. Você perguntou como é o nome da máquina que caiu em desuso. Espero que eu não caia em desuso depois desse parto", de repente um medo a invadiu, ao se lembrar do copo de café preto que havia derramado no edredom branco que a mãe havia lhe dado como dote de casamento.

Um casal de ortodoxos estava ao lado deles e a mulher lhes disse que esse é seu quarto parto, mas o primeiro que ocorria no shabat, e ela disse isso com alegria.

Às duas da manhã levaram-na à sala de parto. A jovem religiosa já havia entrado meia hora antes, e ela não tinha dúvida de que a moça daria à luz antes, porque já sabia como era.

Na sala de parto viram o marido da moça religiosa atrás de um biombo ao lado deles. Ela ouviu como a mulher gritava com ele, "O que você fez comigo, seu filho-da-puta?", e ficou espantada de ver uma religiosa falando assim. Como ela sabia essas palavras? O marido ficou um pouco envergonhado e explicou ao homem que estava para ser pai pela primeira vez que já estava acostumado que a mulher despejasse seus nervos em cima dele por causa das contrações. Era só nos partos que ela pronunciava essas palavras sujas, ele defendeu sua mulher.

"Com aflição terás filhos, descarregando os nervos no teu marido", pensou consigo mesma, enquanto competia com ela para ver quem gritava mais forte.

"Eu ficaria grávida a vida toda, se pudesse xingar o mundo inteiro e o meu marido no parto", ela disse aos dois homens que estavam próximos a ela. "Mas, pensando bem, com dores tão fortes assim, quero, no máximo, só mais um parto. Dói demais", tentou rir e fazer rir o pai de seu bebê.

Ele segurava a mão dela, soprava no seu rosto aflito, enxugava-lhe o suor da testa e lhe acarinhava.

"Quer que eu faça massagem nos seus pés?" indagou, e ela respondeu que não, pois os pés não lhe doíam.

"Um bom homem", ela pensou. "Se eu não fosse já a sua esposa, me casaria com ele."

Às cinco da manhã, Ana nasceu. A religiosa teve uma menina cinco minutos depois dela. Como as duas estavam competindo entre si, foi Ana que venceu a religiosa no sagrado dia do shabat.

"É uma menina", disse-lhe o homem com lágrimas nos olhos.

"Por que está chorando?", ela perguntou. "Está decepcionado?"

"Se você tivesse visto a tesoura com que o médico cortou você, como se corta um frango, você também estaria chorando", respondeu o marido.

“Ai, ai, que dor é essa, agora? A neném saiu, não saiu?”, ela olhou para o homem com receio, será que a neném ainda não havia saído?

“É a placenta. Empurre com força”, orientou o médico que estava sentado diante de suas pernas escancaradas.

Ela empurrou com força e berrou como uma louca.

“A placenta saiu. Vou cortar. Não se mexa”, disse-lhe o médico. “Agora vou costurar.”

“Dói muito?”, perguntou com medo, já cansada das dores.

“Mesmo que doesse você já não iria sentir nada”, respondeu o médico enquanto costurava.

“Minha mãe não costura no shabat”, ela sussurrou ao homem, que segurava a sua mão, identificando-se com as dores dela.

“Ele está costurando você exatamente como você costura o frango recheado com arroz”, ele comentou.

“Com nozes e passas”, ela acrescentou.

“O frango recheado que você faz é o mais gostoso do mundo”, ele às vezes falava hebraico como ela. Acabou aprendendo o hebraico quebrado que ela falava.

“Você gosta do meu frango recheado”, ela afirmou, com satisfação.

“Gosto é de você”, respondeu, e lhe deu um longo beijo nos lábios.

Quando ela soltou os lábios, disse-lhe que frango recheado seria a primeira coisa que ensinaria a Ana, quando desse seus primeiros passos. “Tenho uma receita romena que passa de geração em geração”, ela explicou, e o marido colocou seus longos dedos na sua boca.

“Não fale, descanse um pouco”, pediu à mulher que havia dado à luz a sua filha.

"Ele ainda está me costurando?", perguntou ao marido, sem nada sentir, além dos dedos dele na sua boca.

"Já estou terminando", respondeu o médico. "Você pode fechar os olhos e adormecer."

"Como é a minha menina?", ela se lembrou de perguntar ao marido com os olhos fechados.

"Perfeita. Bonita como você", ele respondeu.

E ela adormeceu feliz.

Sapatos novos

No meio da noite acordei feliz porque sabia que alguma coisa boa havia acontecido. Tentei lembrar qual era a coisa boa, até que consegui, espiei debaixo da cama e vi os meus sapatos novos brilhando, mesmo à noite. Acariciei os sapatos e os cheirei, colocando-os rapidamente no chão, com cuidado para que não se sujassem. E adormeci de novo, feliz.

No dia anterior havíamos descido até Wadi Salib, ao lado do cinema, para comprar sapatos para mim e para minha irmã, pela primeira vez na vida.

Eu queria sapatos pretos de verniz, como os de Chaia, amiga de minha irmã, que estavam sempre brilhando, e minha irmã queria sapatos vermelhos.

Mamãe tentou convencer a minha irmã a comprar sapatos pretos ou brancos, porque combinavam com todas as roupas, mas minha irmã disse que vermelho também combinava com todas as roupas.

O vendedor mediu meu pé com uma forma de ferro contendo os números e disse a mamãe que eu calçava 28.

"Que número devo trazer?" perguntou. Papai disse 29 e mamãe disse 31, para que servisse para os três próximos anos, quando meu pé crescesse.

Por fim, decidiram pelo número 30. O vendedor trouxe os sapatos pretos de verniz, colocou uma grande quantidade de algodão dentro para não cair do meu pé e me deu para provar.

Para minha irmã, trouxe sapatos vermelhos – não de verniz.

"Não há verniz vermelho", o vendedor se desculpou.

"E daí?", minha irmã arrancou o sapato da mão dele e se sentou para provar. "Eu não gosto de sapatos brilhantes", disse, olhando-me com desprezo.

Acariciei meus sapatos pretos de verniz e minha irmã acariciou os sapatos vermelhos dela, para que papai e mamãe vissem que havíamos gostado dos sapatos e não se arrependessem, de repente.

Papai disse ao vendedor que pagaria em seis vezes e que não se preocupasse.

"Terei dinheiro para pagar os sapatos. Em novembro haverá eleições", disse ao vendedor, que assentiu com a cabeça em sinal de compreensão e imediatamente embrulhou os sapatos, sem nenhum receio.

Esse foi o primeiro *Pessach* em que compraram para mim e para minha irmã sapatos novos, só nossos. Depois, passaram a comprar só para minha irmã e me davam os dela, usados.

Esse também havia sido o primeiro *Pessach* no qual minha irmã e eu conseguimos ter uma saia branca plissada, depois de mamãe ter feito muitas bainhas de saias, sendo paga, em vez de dinheiro, com duas saias novas para as duas filhas, precisando apenas encurtar.

Mamãe guardou as saias brancas plissadas e os sapatos novos numa mala, e fomos até os nossos tios em Hadera, para a noite de *Pessach*.

Ela estava feliz porque suas filhas vestiriam roupas novas naquele *Pessach*. Finalmente ela poderia esnobar com as filhas para Niko, seu irmão, e a mulher dele, Eva.

Chegamos à estação de trem e vimos que havia uma fila imensa ao lado do guichê de passagens. Os vagões também já estavam abarrotados de gente que ia para Tel-Aviv.

Papai colocou minha irmã, a mala e a mim pela janela, e ficamos guardando lugar enquanto papai e mamãe foram comprar as passagens.

Quando o trem finalmente saiu, botei a cabeça para fora da janela, e papai gritou comigo dizendo que um poste de eletricidade poderia me cortar a cabeça. Mas não me importava. Tive um prazer muito grande sentindo o vento no rosto, vendo todas as casas passando à nossa frente com rapidez, e às vezes, de dentro das casas, as pessoas acenavam para nós e eu logo acenava de volta, com entusiasmo.

Quando descemos na estação de Hadera, havia um ônibus esperando, e eu não consegui entender como um ônibus inteiro ficava esperando por quatro pessoas ou um pouco mais, que acabavam de descer do trem, e como ele sabia exatamente quando chegaríamos, para que não precisássemos ficar esperando durante horas, como acontecia, às vezes, com o ônibus de Haifa.

Minha irmã me explicou que o ônibus sabia antecipadamente a que horas o trem chegaria, assim como nós sabíamos em Haifa a hora em que o trem saía na direção de Hadera, mas não entendi completamente a explicação dela.

Niko e Eva, sua mulher, haviam imigrado a Israel nos anos trinta. Niko era policial nos assentamentos hebreus, tendo recebido posteriormente um cargo importante no sindicato trabalhista. Depois que terminaram de secar os pântanos, Niko e Eva se estabeleceram em Hadera, onde construíram seu próprio território divino, no qual criaram os três filhos. Niko e Eva achavam que se não podiam transformar papai e mamãe em israelenses instantaneamente, pelo menos nós, as meninas, deveríamos nos libertar de todos os nossos hábitos romenos, para que nos tornássemos verdadeiras sabras, com todo o sionismo necessário. Perguntaram, irritados, à mamãe por que ela ainda não havia estudado hebraico e por que não falava conosco só em hebraico. Mamãe, por sua vez, perguntou a Niko por que ele não ensinava a seus filhos um outro idioma, se não romeno, pelo menos iídiche, pois sempre é preciso saber um outro idioma, e não somente hebraico.

Mas Niko teimava – só hebraico! Então mamãe, que nunca tinha ido ao curso de hebraico para imigrantes, e também ouvia mal, falava com os filhos de Niko um pouco em hebraico, um pouco em iídiche e um pouco com as mãos. E todos a entendiam.

Rivkale, Itzik e Iosi obviamente haviam mamado o amor a Sion desde que nasceram e eram israelenses exemplares. Nós, citadinas de Haifa, e ainda por cima de Wadi Salib, os invejávamos. Primeiramente porque tinham casa própria – com jardim, flores, grama e, o mais importante, árvores frutíferas: laranjas, limões, nêsperas e ameixas. Tinham até um espremedor de laranjas no depósito do pátio, e ali espremiam laranjas frescas e nos davam vitaminas. Enfim, poder colher tudo o que desejar e comer tudo o que puder, até se contorcer à noite com terríveis dores de barriga de tanto comer ameixas, era para nós como estar no paraíso. E em segundo lugar os invejávamos porque falavam somente hebraico entre si.

À noite dormimos no quarto de Iosi. Os pais abriram a cama de ferro, levantaram a cama debaixo e juntaram as duas. Sefi foi logo pegando o lado da parede, o melhor lado. Iosi dormiu do lado oposto, o lado dos que acordam cedo, pois às cinco e meia da manhã já se levantava, esse menino hiperativo. Eu fiquei na fenda do meio da cama, que era, na verdade, um buraco de alguns centímetros entre as duas camas, pois havia uma considerável diferença de altura. Não dormi a noite inteira, porque senti muita vergonha de dormir com um menino, ainda que fosse meu primo, e além disso fiquei o tempo todo com medo de soltar um pum barulhento no meio da noite. Fiquei deitada a noite inteira como uma estátua, sem respirar e sem me mexer. Como os ouriços quando fazem amor – com muito cuidado.

Pela manhã, quando fomos até a quitanda de Rachamim para comprar o que faltava para a noite de *Pessach*, vi Iosi metendo no bolso balas e uma barra de chocolate. Rachamim perguntou a Iosi o que devia anotar, e Iosi citou apenas os mantimentos que a mãe nos havia pedido para comprar. "Você tem certeza de que isso é tudo?", perguntou Rachamim a Iosi, e o ladrãozinho respondeu que ele tinha cem por cento de certeza.

Contei a papai que Iosi havia afanado na quitanda de Rachamim, e papai disse que ele não havia roubado nada.

"Roubou, sim", eu disse a meu pai. "Ele afanou balas e chocolate."

Papai explicou que, mesmo que Iosi pensasse que havia conseguido afanar, Eva pagava tudo depois, porque Rachamim anotava o que Iosi metia no bolso, mas não queria envergonhá-lo.

À noite vestimos as saias brancas plissadas, eu com os sapatos pretos de verniz e minha irmã com os sapatos vermelhos sem brilho. Minha irmã vestiu a blusa justa azul com a fivela vermelha, que, é óbvio, combinava com os sapatos dela. Eu vesti uma blusa marrom, o que não combinava nada, ainda que meus sapatos fossem pretos e combinassem com qualquer roupa.

Nós nos sentamos em clima de festa à mesa posta de forma exemplar, para uma ceia devidamente adequada ao ritual de *Pessach*. Apesar de Niko e Eva serem laicos céticos (eles nem jejuavam em *Yom Kippur* como meus pais), na noite de *Pessach* não pularam nenhum versículo da *Hagadá* que contém o relato da escravidão, e esperamos pacientemente até que Deus tirasse os filhos de Israel do Egito com mão forte e braço estendido, para podermos saborear aquela comida maravilhosa.

Eu esperava só pelo *afikoman*, observando cada movimento de Niko para ver onde ele esconderia o *afikoman*. Não vi nada suspeito nele e, quando chegou a hora de procurar, todos nos espalhamos pela sala. Minha irmã procurou no sofá, Itzik mexeu em todas as almofadas, Iosi procurou em todas as frestas possíveis e eu fui direto até a pilha de discos em cima do aparador. Procurei entre todos os discos russos que havia lá e que Eva, a mulher de Niko, gostava de ouvir, pois era de origem russa. Quando descobri um disco em hebraico, de Iafa Iarkoni, retirei-o da pilha e senti o pequeno embrulho do *afikoman*. Yes!!! Achei o *afikoman*. Agora posso pedir o que me vier à cabeça.

Quis pedir uma bicicleta, mas fiquei com vergonha, porque sabia que custava caro e, fora isso, em Haifa, cheia de subidas, era impossível andar de bicicleta.

Quis pedir uma bola de futebol, mas fiquei com vergonha, porque sou menina.

O que eu mais queria pedir era uma blusa azul nova com fivela vermelha, mas sabia que uma blusa como essa só existia na América.

"O que pedir?", cochichei à minha irmã.

"Peça um livro", minha irmã me aconselhou rapidamente, "pois causa boa impressão".

Então, para fazer um desaforo à minha irmã, que queria o livro para ela ler, pedi um caderno de pintar. “Um para mim e outro para minha irmã”, acrescentei.

Minha mãe ficou exultante de tanta felicidade, ao ver como eu gostava da minha irmã, e não sabia que, no final das contas, eu não havia pedido o livro, como ela recomendara, só para contrariar minha irmã.

Quando acordou, viu a moça religiosa amamentando a neném. O nome dela era Rivka.

"Eu trouxe Rivka para mamar", a enfermeira disse à religiosa e colocou o bebê com a cabeça cheia de cabelo negro, junto aos seios da mãe. Foi assim que ela ficou sabendo que o nome do bebê da religiosa era Rivka.

Dois dias depois, quando entrou no quarto que dividia com mais duas parturientes, ouviu a religiosa dizendo, sem vê-la, "Coitada dessa moça. A filhinha dela nasceu doente. Graças a Deus que a minha nasceu com saúde." Ela estava falando com duas mulheres ortodoxas que estavam sentadas ao lado da sua cama, enquanto amamentava a pequena Rivka. Fez-se então um profundo silêncio quando ela se deitou de costas para as ortodoxas.

No início, não havia entendido por que não lhe traziam Ana para mamar. Quando viu que a religiosa já estava amamentando pela segunda vez e que ela ainda não havia segurado seu bebê no colo, perguntou à enfermeira o que estava acontecendo com Ana.

"Ana?", a enfermeira perguntou.

"Sim, Ana. Este será seu nome em Israel."

"É um nome estrangeiro, não é?", disse a enfermeira chefe da maternidade, que não havia apreciado o nome. "Vocês são judeus, certo?", perguntou, como se temesse que não judeus tivessem entrado no seu departamento.

"Então, por que vocês não trazem Ana para mamar?", ela teimou com estranheza, pois queria dar de mamar à criança que havia nascido há mais de vinte e quatro horas, e que ainda não tinha visto.

"Não sei dizer", respondeu a enfermeira sem nenhuma gentileza, pois não havia gostado do nome da criança. "Pergunte ao médico", disse e saiu.

"Onde está meu marido?", ela gritou para a enfermeira.

A enfermeira disse que algumas parturientes estavam dormindo e pediu que ela falasse mais baixo. "Seu marido está esperando lá fora até que Rivka acabe de mamar", e ela pronunciou "Rivka" como se esse fosse o nome que se deveria dar a um bebê, e não o nome não *kasher* que ela havia dado à filha.

Vai explicar para essa enfermeira retardada que eles discutiram muito tempo a respeito de nomes de meninas e que quando ela sugeriu ao homem dar o nome de Ana, em homenagem à irmã gêmea da mãe dele que havia morrido de repente, ele lhe agradeceu com lágrimas nos olhos e disse que essa era a vontade dele, mas pensou que não tinha o direito de pedir, por não ser um nome hebraico. Ela respondeu que isso não era nada importante para ela e que também gostava muito da tia dele, Ana.

O homem ficou emocionado com o seu gesto e disse que ela era uma mulher muito generosa. Ela perguntou o que isso tinha a ver, e ele só respondeu que estava torcendo para que nascesse uma menina, porque o nome Ana iria proporcionar um sorriso no rosto sofrido de sua mãe, que havia perdido a irmã gêmea fazia pouco tempo.

Ela procurou os chinelos com os pés e foi ao corredor vestindo pijama. Não achou o penhoar e não se lembrava em que lugar o homem disse que o havia deixado. Fazia um frio glacial no corredor. Ela tremia com o corpo todo, e talvez fosse de medo.

O homem esperava lá fora, sem saber da tormenta que se passava na alma dela.

"Você a viu?", ela foi logo perguntando.

"Ainda não. Disseram-me que logo viriam falar conosco."

"Sobre o que eles precisam falar conosco?", ela disse, apoiando-se nele.

"Não tenho idéia. Isso não é normal?"

"Não. Não é normal", ela respondeu como se soubesse no primeiro parto da sua vida o que era e o que não era normal. Além disso, ela jamais tinha gostado dos normais da sua turma de escola. Na verdade, ela até os abominava, e tudo o que era considerado normal lhe causava alergia.

"Vamos vê-la", ela o arrastou enquanto seguia em frente, correndo com os chinelos, como se estivesse na maratona de Tel-Aviv. Eles foram até o berçário e perguntaram à enfermeira onde estava a filha. Depois de ter sido informada do nome e sobrenome do bebê, sem demonstrar nenhum sinal de contrariedade em relação ao nome não israelense, foi passando de berço em berço e voltou até o casal com a informação de que o bebê não estava lá.

"E onde está?", ela perguntou com uma contorção na barriga e sentindo que ia desmoronar.

"Quando ela nasceu?", a gentil enfermeira se interessou.

"Ontem", a mãe respondeu.

"E não a levaram para mamar?", a enfermeira estava curiosa.

"Trouxeram-na e eu a perdi. Onde ela pode estar?", ela berrou.

O homem a apoiou, perguntando quem poderia informar onde estava a criança.

"Talvez na incubadora?", a enfermeira sugeriu de repente; talvez ela tenha crescido ouvindo as histórias dos raptos dos bebês iemenitas e já estava percebendo que alguma coisa não ia bem. "Talvez tenha nascido prematura", interessou-se. "Você teve o bebê antes do tempo?"

"Com dois quilos e quatrocentos é prematura?", o marido perguntou.

"Não", respondeu imediatamente a enfermeira, "um pouco pequena, mas com certeza não é prematura".

"Prematura ou não prematura, onde, diabos, fica a incubadora?", ela perguntou.

"Seguindo o corredor até o final", a enfermeira tentou ser amável.

Desta vez foi ele que a arrastou com pressa, enquanto os chinelos iam caindo sem parar. Chegaram até o final do corredor e pararam diante da porta blindada, com janelas redondas como as de um navio. A porta estava trancada. Quando bateram na janela, chamando a enfermeira que apareceu lá dentro, vestindo roupa verde como na sala de cirurgia e com máscara no rosto, ela saiu para falar com eles, com um sorriso cálido no rosto. Eles se apresentaram, e ela disse imediatamente que iria chamar o chefe do departamento. Era um médico de cabelo grisalho, com um sotaque sul-americano bem acentuado. O Dr. Moguilner, assim estava escrito na placa de prata na lapela do jaleco branco do médico, disse-lhes que o bebê estava com insuficiência respiratória.

"O que é insuficiência respiratória?", eles perguntaram, ambos com a respiração suspensa.

"O bebê tem uma cor azulada e não conseguimos achar a causa disso", disse o médico, conduzindo-os com delicadeza à sua sala. Ele se interessou em saber como foi a gravidez, se havia corrido tudo bem.

"Ela passou muitíssimo bem", o homem disse imediatamente, como se quisesse esclarecer que ela não havia feito nada de errado e que sempre a apoiava.

Ela olhou para ele e disse que não tinha tanta certeza de que a gravidez havia transcorrido completamente bem.

"A que você está se referindo?", ele perguntou.

"Passei por fortes pressões arrastando você a Israel, tive medo de que você pudesse não se adaptar aqui e precisasse abrir mão de coisas a que você estava acostumado, que talvez não conseguisse trabalho. Além disso, como as costas lhe doíam, eu tive que fazer toda a mudança de apartamento sozinha, com barriga e tudo, e sua tia morreu de repente", ela foi dizendo, numa rapidez que mais parecia uma descarga dos acontecimentos dos últimos meses.

"Mas agora está tudo bem", ele a tranqüilizou, como se quisesse afastar todas as preocupações do seu coração. "Estou feliz por termos imigrado a Israel, e muito feliz por ter tido uma filha sabra", o marido afirmou.

"Pressões emocionais podem afetar o feto?", ela perguntou ao Dr. Moguilner, que lhe respondeu com uma afirmativa.

"E com o parto, correu tudo bem?", o chefe do departamento perguntou com delicadeza.

"Tive o bebê aqui, neste hospital. Vocês não têm aí anotadas nos formulários as informações sobre o parto?", ela respondeu, mas, na verdade, era uma pergunta que fazia ao médico. Talvez algum fato importante tenha ocorrido no parto sem o seu conhecimento.

O médico observou o formulário e disse que o parto transcorreu sem nenhum imprevisto em especial.

"Vocês querem vê-la?", ele perguntou, e os dois saltaram das cadeiras e foram atrás dele. Quiseram entrar junto com o médico, mas lhes explicaram que antes de entrar na incubadora era preciso lavar as mãos, vestir um jaleco verde e amarrar as alças atrás, vestir sobre os sapatos uns forros e amarrá-los bem, e, é óbvio, colocar uma máscara no rosto para impedir que alguma bactéria contaminasse a incubadora. Na primeira vez, eles se atrapalharam com as alças na frente e atrás, mas com o tempo, num processo de três longos meses de internação, tornaram-se especialistas no assunto, e em apenas alguns segundos ficavam prontos para entrar no recinto esterilizado.

Olharam-na comovidos. Sua filhinha estava lá deitada como o anjo mais perfeito que já haviam visto. Cada órgão no lugar certo, não faltava nada. Estava sem roupa.

"Não está com frio?", ela perguntou com delicadeza para a enfermeira de olhos azuis, que logo lhe agradou porque mudou Ana de posição para que os pais pudessem admirá-la em toda a sua beleza.

"Não, não sente frio", sorriu-lhe Zohara. Ela viu na inscrição do uniforme verde que o nome dela era Zohara. "A incubadora é o lugar mais quente do hospital", Zohara esclareceu aos pais preocupados.

Ela se lembrou que quando estava na oitava série, os alunos eram levados uma vez por semana à escola agrícola Kfar Galim para realizarem trabalhos no campo. Era um inverno especialmente frio e chuvoso, e quando apresentaram aos alunos a relação de trabalhos que deveriam fazer como voluntários – quer dizer, eram obrigados a ser voluntários – todos os alunos escolheram o trabalho na colheita. Como citadinos de Haifa queriam comer à vontade das árvores do campo. Ela, no entanto, perguntou ao instrutor que outras opções havia.

Ele sugeriu o trabalho na cozinha ou recolhendo batatas, mas ela negava com um sinal de cabeça.

"Você não quer ficar com todos os seus colegas de turma na colheita?", o instrutor já estava um pouco cansado dela.

"Já fico com eles bastante tempo durante a semana", respondeu.

"Tem também o aquecimento dos pintinhos", ele disse.

"O que é para fazer lá?", ela logo demonstrou interesse. A palavra aquecimento lhe soava bem num dia frio e chuvoso.

"Nada de especial", ele disse. "Cuidar para que não sintam frio."

Ele a levou até um barraco como se fosse de anões. Era preciso se agachar para passar pela entrada, e lá dentro só podia ficar sentada ou deitada sobre a palha que cobria a terra seca. Lá estava quente e agradável. Não era à toa que o nome era aquecimento dos pintinhos, e todos lhe faziam cócegas nas pernas, e ela logo tirou os sapatos. Sentia-se como Gulliver na terra de Liliput e gostou muito quando os pintinhos subiram nela como se também fosse palha. Ficou os observando durante horas. No início, todos lhe pareciam igualmente amarelos. Mas, com o tempo, começou a perceber diferenças entre eles.

Identificou qual era o mais aceito, o mais arrogante, o mais mimado, o mais preguiçoso. Quando identificou o mais frágil do grupo, o que não sabia dar empurrões para chegar até a comida, adotou-o e lhe deu uma porção especial, só para ele, para que crescesse e ficasse forte. Na semana seguinte trouxe um livro e leu em voz alta, como se estivesse contando uma história aos pintinhos. Ocupou-se especialmente do pintinho menor, o que havia adotado, e lhe deu comida antes dos outros, que se empurravam entre si. É uma lei da natureza: o mais fraco só sobrevive se houver quem cuide dele. Ao longo de seis semanas, o pintinho dela cresceu e ficou como todos os outros, mas durante esse período o céu foi clareando e ficou muito quente permanecer ali. Ela disse ao instrutor que queria trabalhar na colheita, e começou a levar para casa maçãs em abundância. Todos ficaram felizes. Quando se lembrou de tudo isso enquanto olhava seu lindo bebê deitadinho sem roupa na incubadora, de repente lhe ocorreu que talvez o instrutor tivesse inventado essa tarefa especialmente para ela, para que cuidasse do pintinho mais fraco.

Ana abriu largamente os olhos.

"São azuis. Como os da sua mãe e da irmã dela, Ana", ela disse ao marido.

"Isso pode mudar", disse uma outra enfermeira que passava por perto, como se esse fosse o problema, se os olhos iam mudar de azul para castanho, verde, âmbar, e não, a insuficiência respiratória que os médicos não sabiam explicar a origem.

Desgraças de agosto

Um mês depois aconteceram dois fatos muito tristes para minha irmã, e ela chorava o dia inteiro. Papai não conseguia confortá-la, apesar de ter explicado que em agosto, mês da destruição do Templo de Jerusalém, acontecem desgraças. Papai também não nos deixava ir à praia no dia de *Tishá Beav*, porque dizia que neste dia muitas pessoas se afogavam, apesar dos salva-vidas, que, naquele tempo, não estavam em greve.

Chaia, a rainha da turma e melhor amiga de minha irmã, imigrou para a América, depois que os tios dela convenceram seus pais de que o futuro dos judeus era muito mais cor-de-rosa em Nova Iorque; além disso, era muito mais barato dar bonecas de presente sem mandar pelo correio até Israel. E Chana, a professora que minha irmã mais gostava, morreu num acidente de carro.

Foi uma dor muito grande para minha irmã perder, de uma só vez, as duas únicas mulheres que admirava, ainda mais pelo fato de Chaia ter levado consigo todas as bonecas e o piano, que minha irmã tanto gostava de brincar. E Chana, que cuidava das crianças do nosso bairro, apesar de viver no Carmel, de repente, desapareceu para sempre. Naquela época, pessoas jovens só morriam nas guerras, não assim, do nada, num acidente de carro.

Para animá-la, papai nos levou a passear no trem Carmelit, recém-inaugurado em Haifa, para passar por todas as estações, até chegar ao Carmel.

Quando finalmente criamos coragem para subir nas escadas rolantes, depois que ficamos observando, nós quatro (sim, papai consentiu que mamãe também fosse), que não acontecia nada de mal com as outras pessoas, meu sapato novo de verniz, comprado em *Pessach*, ficou preso nas escadas rolantes, e eu vi como meu sapato saltava de degrau em degrau até aparecer esmagado na outra ponta da escada. Apesar de eu ter gritado desesperadamente para que as escadas parassem de se mover e eu pudesse salvar meu sapato, de nada adiantou. As escadas continuaram rolando e condenaram à morte o primeiro sapato novo que tive.

Minha irmã começou a rir enquanto eu urrava, e papai e mamãe logo compartilharam o riso dela, para que ela risse ainda mais. Eles estavam contentes por minha irmã ter esquecido por alguns minutos as perdas que havia sofrido.

Depois, passeamos um pouco pelo Carmel e descemos a pé, é óbvio, e eu ia mancando só com um sapato, pois o outro ia na mão, esmagado e destruído pelas escadas rolantes da nova Carmelit. Meu sapato havia perdido todo o verniz e o brilho.

No dia seguinte vestimos nossa nova saia branca plissada de *Pessach*, mesmo sendo um dia comum, e mamãe nos levou até a direção da Carmelit, enquanto eu levava na mão o meu maltratado sapato.

O diretor viu meu olhos tristes e explicou para mamãe que não podia me indenizar com um sapato novo. Se eu tivesse me machucado ou sofrido ameaça de morte, haveria um seguro.

Mas não para um sapato destruído, por eu não saber subir na hora certa nessas escadas modernas que rolam sozinhas, sem que ninguém mexa nelas.

"Apesar disso", ele falou, "a menina receberá, como compensação, dez viagens grátis na Carmelit".

Mamãe foi logo dizendo que queria dez viagens grátis para a família toda e, quando, surpreendentemente, o diretor concordou, ela ainda acrescentou: "Ida e volta. Para que não precisemos depois descer a pé do Carmel a Wadi Salib." O diretor concordou também com essa solicitação, de modo que saímos satisfeitas e, então, decidimos comemorar a nossa vitória.

No canto da rua um menino árabe estava vendendo figo-da-índia. Chegamos perto e paramos na fila para comprar. Na nossa frente estava um homem gordo que comia figos e mais figos, mais figos e ainda mais figos. Toda vez que achávamos que já havia terminado e tentávamos escolher uma fruta bonita, grande e suculenta, seu olho afiado e devorador captava o que havíamos escolhido, apontava para ele, e então o menino pegava a fruta com as mãos arranhadas, abria, descascava e dava ao porcalhão gordo que estava na fila na nossa frente. Quando minha mãe gritou para que ele deixasse alguma coisa para as meninas, o homem já havia devorado uns quarenta figos. O menino descascou duas frutas bonitas e suculentas para nós. Mas, quando mamãe apontou umas outras, para que descascasse, o menino árabe percebeu um guarda se aproximando dele. Como não tinha autorização para vender figos-da-índia na estrada da Carmelit, foi logo pegando a sua mercadoria e sumiu entrando nos becos do mercado turco, à direita. Ficamos arrasadas com isso, porque o homem que havia comido as melhores frutas não tinha pago por elas, e mamãe acreditava que ele, com toda a certeza, havia chamado o guarda depois de acabar com as frutas.

O guarda se aproximou de nós e perguntou para onde o menino árabe havia fugido, e o ladrão de figos apontou na direção certa. Mamãe disse ao guarda que o homem estava mentindo, que ela havia visto com os próprios olhos como ele tinha roubado todas as frutas do pobre menino que trabalhava para se sustentar e, enfim, que o menino havia fugido em outra direção. E mamãe apontou para o lado oposto da direção da fuga. O guarda, que sabia que os adultos mentiam sem problemas, perguntou à minha irmã para onde havia fugido o vendedor dos figos-da-índia. Pelo visto ele achava que uma menina de nove anos e meio, com saia branca plissada, não mentiria.

Minha irmã apontou para a mesma direção que minha mãe havia indicado. O caminho oposto da fuga.

O guarda ficou um pouco indeciso, e eu, agitando o sapato destruído, perguntei ao guarda por que ele, afinal, acreditava num mentiroso como aquele, que havia comido todas as nossas frutas e, além disso, era tão gordo.

O guarda começou a perseguição no sentido que mamãe havia indicado, e nós nos dirigimos, bem devagar, para a direita, encontramos o vendedor de figos-da-índia, compramos mais um para cada uma, pagamos e fomos para casa.

Estávamos muito orgulhosas da nossa mãe, que havia tapeado o guarda, defendendo o menino árabe. Já não bastava que aquele malvado havia comido todo o sustento do garoto, ele ainda teria que ficar na prisão?

Mas papai decidiu que uma viagem de ida e volta na Carmelit não era suficiente para compensar uma menina da perda de duas mulheres importantes na sua vida, e depois de alguns dias chegou em casa com uma caixa grande. Todas nos reunimos em volta da caixa, tentando adivinhar o que havia dentro.

Minha irmã logo adivinhou e disse: "É um rádio!"

Mamãe tinha a esperança que fosse uma pequena máquina manual de lavar roupa, que se girava a manivela e a roupa saía limpa, uma máquina que a liberasse da carga cansativa da lavagem da roupa na quinta-feira. Eu achava que era uma boneca grande, que papai havia decidido comprar para nós duas em sociedade, agora que ele estava com dinheiro porque pouco tempo depois, em novembro, as eleições se realizariam; além do mais, Chaia havia levado todas as bonecas para a América e, então, poderia ser isso. Mas na verdade, era um rádio mesmo. Um rádio marrom de madeira comum com os cantos arredondados, com um disco verde que ficava aceso quando o rádio estava ligado, de onde saíam falas e música. O rádio ficava a maior parte do tempo desligado, porque a eletricidade custava caro, e papai e mamãe ouviam o noticiário em romeno uma vez por dia.

No fim do mês papai nos fez uma outra surpresa, levando-nos para participar num filme americano. Um filme de verdade, e até ganhou dinheiro com isso. Para tanto era preciso ter pistolão, e o partido arranjou para que papai e a família pudessem aparecer como figurantes no filme, pois agora, antes das eleições, eles o bajulavam mais do que nunca, quando ouviram que só a nossa casa não havia sido apedrejada nos distúrbios de Wadi Salib, como as demais casas, dos asquenazitas.

O filme era sobre uma americana de uns trinta e poucos anos que ficou sabendo que seu amado dos tempos de juventude havia sobrevivido ao Holocausto e vivia em Israel. Ela, então, veio da América para encontrar o eleito de seu coração, a quem não via há quinze anos. Entende-se que ela havia se recusado a casar na América, pois no íntimo sempre acreditou que seu amado escapara do Holocausto. Ele, por sua vez, também não havia se casado em Israel e sempre ouvia no rádio o programa "À procura de parentes", até que conseguiu localizá-la. Eles se encontraram na plataforma do porto, quando ela descia a rampa do navio vestindo um *tailleur* rosa, com chapéu rosa e uma bolsa branca. Seu amado a esperava na descida da rampa, segurando um buquê de flores viçosas. Nós éramos os figurantes, que ficávamos embaixo, no cais, esperando nossos parentes que estavam imigrando a Israel no navio. A atriz se segurava no corrimão, para não desmaiar de emoção devido ao encontro com seu eleito. Pelo visto, essas foram as instruções que ela havia recebido do diretor, e nós tínhamos que bater palmas toda vez que os passageiros desciam do navio. Durante horas ficamos vendo a atriz subindo e descendo a rampa do navio ao som dos aplausos, até que ela se uniu num beijo ardente com seu amado, que a esperava embaixo. Eles se beijaram algumas vezes, e a cada vez traziam ao ator um outro buquê de flores. Sefi e eu absorvíamos cada palavra dita em inglês de primeira mão, ao vivo, e aproveitávamos cada instante da proximidade com os atores americanos em pessoa, rezando para que aquilo não acabasse nunca. Nossa felicidade não tinha limites. Além disso, sabíamos que papai estava ganhando dinheiro, e nós só precisávamos ficar ali paradas. Pois era óbvio que ficaríamos até de graça durante dias, se o diretor pedisse. No final, levamos também todos os buquês de flores para casa.

Eles ficaram por um longo tempo observando seu bebê perfeitinho, quando, de repente, Ana ficou com a cor azulada e seus pequenos punhos começaram a se agitar no ar como se dissesse, "De onde virá meu auxílio?" A boquinha estava completamente fechada e todo o seu corpo parecia lutar contra alguma coisa que ninguém podia ver. Todos os aparelhos da incubadora começaram a apitar. A enfermeira quis tirá-los de lá à força, mas ela se recusou a sair. A enfermeira afastou-a de leve e infiltrou mais oxigênio na incubadora, mas Ana continuava com a cor azulada. Ela tinha apenas vinte e seis horas.

O bebê abriu a boca como se quisesse gritar, depois desistiu e começou a chorar um choro baixo. Não era o choro exigente de um recém-nascido que quer comer, mas o choro silencioso de um recém-nascido que quer viver. Um choro triste. Os aparelhos pararam de apitar. A respiração do bebê foi voltando pouco a pouco, e sua boca pequena e perfeita estava meio aberta. O bebê olhava para eles, e a mãe sentiu que o bebê havia se acalmado e que sentia os pais ao seu lado, apesar de que esse havia sido seu primeiro encontro. Ela enfiou a mão lavada na abertura redonda e acariciou a cabeça delicada. Ela a amava tanto.

Zohara disse-lhes que havia chegado a hora de tentar dar comida ao bebê.

"Ela não comeu nada até agora?", a mãe perguntou, um pouco irritada por terem deixado seu bebê com tanta fome.

"Ela está recebendo alimentação intravenosa", e só depois de ter dito isso, a mãe percebeu um aparato de transfusão preso ao pezinho. "Ainda não sabemos qual a causa da insuficiência respiratória dela, e, apesar de termos feito vários exames, não chegamos a nenhuma conclusão. Vamos fazer a primeira tentativa de alimentá-la."

"Com a mamadeira?", o novato pai perguntou.

"Por sonda", respondeu Zohara, e tentou introduzir no bebê uma sonda fina na narina direita. Após algumas tentativas, Zohara, com seu sorriso encantador, chamou o Dr. Moguilner e disse-lhe que não estava conseguindo introduzir a sonda pela narina. O Dr. Moguilner ficou ao lado do anjo de branco, enquanto ela tentava introduzir uma outra sonda, desta vez na narina esquerda, e novamente sem sucesso.

Os pais estavam assustadíssimos, pois perceberam que, além da falta de ar por causa desconhecida, também não era possível alimentá-la. O homem apertou a mão dela com toda a força, como se estivesse tentando extrair dali alguma coragem. Mas o Dr. Moguilner parecia muito envolvido. Ele pediu a Zohara que pegasse duas sondas novas e tentasse introduzir nas narinas do bebê. Zohara tentou novamente, mas sem sucesso.

"As narinas estão obstruídas", ela olhou com desespero para o Dr. Moguilner.

"Ótimo", o Dr. Moguilner indicou uma luz pela primeira vez. "Essa é a causa da insuficiência respiratória do bebê."

Ele se dirigiu aos pais, satisfeito, e disse: "O bebê tem as narinas completamente obstruídas, e esta é a causa da cor azulada. É o primeiro caso que vejo com meus próprios olhos nos vinte anos de trabalho com prematuros."

"Isso é bom ou mau?", ela foi logo perguntando.

"Tem solução", ele disse, e parecia ainda mais envolvido. "Agora poderemos tratar do problema."

O Dr. Moguilner disse a Zohara para trazer o *air way* e introduziu no bebê com muita delicadeza um tipo de pequeno tubo, cujas pontas se adaptaram à sua boquinha.

"Agora ela poderá respirar", ele disse aos preocupados pais, enquanto observava o bebê até que sua respiração ficasse regular e tranqüila. O *air way* que havia sido colocado no bebê mantinha a sua boca aberta, para que pudesse respirar.

O médico parecia feliz, como se tivesse descoberto a América naquele instante.

Eles olhavam emocionados para a respiração regular da filha e seu lindo rosto, fora do comum.

"Este é o bebê mais lindo que tivemos até hoje aqui na incubadora", a enfermeira Zohara comentou, e o Dr. Moguilner concordou com ela imediatamente.

"Este é o bebê mais lindo que já tivemos", disse o pai, com os olhos brilhando.

"Vocês estão vendo um milagre", o Dr. Moguilner acrescentou.

"Por vocês terem descoberto a causa da insuficiência?", a mãe perguntou.

"Não. Um milagre médico pelo bebê ter permanecido vivo durante vinte e seis horas sem fonte de ar." Quando o olharam perplexos, ele explicou que o bebê não tem o instinto de abrir a boca para respirar. "Só a partir de um mês de vida, e às vezes só após alguns meses, eles desenvolvem o instinto de abrir a boca para respirar. É um milagre, sem explicação médica, como o bebê de vocês, com obstrução completa no nariz, sobreviveu todas essas longas horas sem ar."

Foi o espírito de Deus, ela pensou consigo mesma, e entendeu que lhe havia nascido um pequeno anjo com gigantescos olhos azuis e com o próprio Deus ao seu lado.

Três dias depois, como estava previsto, ela teve alta, mas Ana iria continuar na incubadora por tempo indeterminado.

"Ela está muito doente", o médico tentou explicar a eles a gravidade da situação. "Para a nossa alegria, conseguimos solucionar o problema da cor azulada da pele, mas a obstrução do nariz é apenas um sintoma de um outro problema básico que ainda não conseguimos localizar. De acordo com os exames de sangue, há uma suspeita de que ela tenha um problema no sistema imunológico, mas ainda precisamos verificar outros dados, e é necessário que ela fique em observação vinte e quatro horas por dia."

"Posso vir a cada duas, três horas, para amamentá-la?", ela perguntou.

"Agora o que você precisa é descansar em casa. Você não pode amamentá-la", disse o Dr. Moguilner com seu pesado sotaque sul-americano e com a delicadeza característica, ao que tudo indica, dos chefes de departamento de prematuros.

"Por quê?", ela se sentiu ofendida. "Meu leite não é bom?"

"Ela respira pela boca", o marido foi logo lembrando.

"Ela não poderá respirar se você alimentá-la", o médico explicou a ela, que ainda não havia se dado conta de que a boca de Ana não pode ficar fechada com um seio ou uma mamadeira. "O único meio de amamentá-la é através da sonda. Vamos lhe dar uma bombinha para retirar o leite e alimentar o bebê pela sonda com o leite materno. Não há nada melhor do que leite materno para fortalecer o sistema imunológico do bebê", o médico acrescentou. "Todas as mães da incubadora retiram leite para que possamos alimentar os prematuros."

"E quando Ana vai ter alta?", ela insistiu em saber qual o prognóstico dele.

"Não tenho idéia", o médico disse com sinceridade, "mas, certamente, não tão cedo".

Ela voltou para casa com tudo o que havia levado para o parto, e a caminho do carro viram o casal de ortodoxos entrando no carro deles com a quarta filhinha no colo. Eles os olharam com inveja.

Voltaram a uma casa vazia, tendo deixado o coração na incubadora. No colchão havia uma mancha enorme de café. Ele ajeitou a cama e colocou o edredom branco numa capa azul para esconder a mancha. Sabia que ela gostava de azul. Ele encheu a banheira com água quente e sais minerais para banho, e quis ajudá-la a tirar a roupa, mas ela preferiu ficar sozinha, "removendo de si o hospital", um conceito que, com o correr dos anos, passou a fazer parte do vocabulário familiar dela sempre que voltavam do hospital depois de um longo dia de tratamento: tomar uma chuveirada para "remover o hospital", esfregando bem para afastar todas as bactérias que houvessem trazido de lá. Quando a água a cobriu, ela mergulhou deitada sem se mexer, verificando quanto tempo era possível permanecer debaixo da água sem respirar. Como fumante habitual, as chances de suspender a respiração eram muito limitadas. Não é de admirar que desde que as companhias telefônicas passaram a dominar o ar, as tarifas tenham ficado tão altas. O ar é um produto caro. Ela tirou de uma só vez a cabeça de dentro da água com um grito contido. Nesse instante o homem entrou no banheiro trazendo roupa de baixo e pijama limpos, e os colocou sobre o mármore. Sabia que ela não gostava de misturar no banheiro a roupa suja com a limpa, pois isso a fazia lembrar dos tempos de pobreza, mas ele não queria que ela saísse do recinto quente sem roupa, pois era fevereiro, o mês mais frio do ano, e na casa vazia, sem o bebê, a friagem penetrava na alma. Apesar do banho quente, todo o seu corpo tremia ao entrar debaixo do edredom azul, e não conseguia conter a tremedeira. Ela se consolava pensando que na incubadora há aquecimento central e que Ana não estava sentindo frio.

"Como a nossa filha vai respirar?", perguntou ao homem enquanto seu corpo ardia.

"Como os mergulhadores", ele respondeu. "Ela vai se acostumar, é um bebê forte."

"Eu não consegui, ainda agora, na banheira", ela disse.

"Você tinha outra alternativa", ele disse.

"Você também tentou?", ela perguntou.

"Há três dias tapo o nariz com os dedos para ver como é."

Ela adormeceu e acordou no meio da noite com calafrios por todo o corpo, os dentes batendo sem parar. Ela ardia em febre. O homem trouxe um termômetro. Ela tinha febre de quarenta graus.

"Estou com medo de que você esteja com pneumonia", ele disse.

"E como é isso?", ela perguntou.

"Pneumonia?" ele indagou.

"Tapar o nariz e não respirar."

"Um pesadelo", ele respondeu.

Ela ficou nove dias em casa com uma forte pneumonia, ardendo em febre e com terríveis sentimentos de culpa por não estar ao lado da incubadora da filha. O marido visitava o bebê diariamente, mas não voltava com boas notícias. Todo alimento que davam a Ana por sonda ela vomitava, baixava de peso, e ainda não havia um quadro claro de qual era o problema, além da falta da mãe. Por causa da pneumonia e dos antibióticos que havia tomado, ela não podia tirar o leite do seio que ia murchando, até que secou por completo. Ela se sentia como um jarro vazio e inútil.

Sua mãe veio de Haifa para alguns dias, deixando o marido doente aos cuidados de uma boa vizinha, e chegou para cuidar da filha, apesar de sofrer de pressão alta.

Bianca pronunciava a sua oração silenciosa, com palavras num idioma desconhecido, cuspia três vezes na cabeça ardente e dizia três vezes amém, amém e amém, mas a febre não baixava.

Bianca sentia-se bastante angustiada, pois o marido estava muito doente em Haifa, a filha ardia em febre com uma forte pneumonia, sua única neta – que havia nascido recentemente – estava internada no hospital em estado grave e a sua oração mágica não surtia efeito.

Entre um delírio e outro, ela tentava distrair a mãe e contava histórias de seu pai, com a senilidade ultrapassando os limites do choro, tornando-se impossível não rir das coisas que ele fazia. Ela fora visitá-los em Haifa sem avisar, no oitavo mês de gravidez, e a mãe foi logo correndo para as compras no mercado, para que o feto conhecesse, desde o ventre, a comida romena. O pai dela, que parecia irritado, fora do habitual, reclamou com ela que Bianca havia jogado fora seus sapatos pretos que ele acabara de engraxar. No seu último ano de vida, tinha a mania de engraxar sapatos. Ficava horas sentado, muito concentrado nos sapatos, e engraxava uma e outra vez, para frente e para trás com a graxa e o trapo de lado a lado, e depois escovava bem para um polimento final, como se o brilho que dava aos sapatos velhos lhe lembrasse o brilho da sua vida.

"Ela, com toda certeza, está se vingando de mim porque eu jogava fora os trapos dela", o pai lhe explicou com a lógica saudável de sua completa senilidade, causada pelos ataques de embolia que havia tido no último ano.

"Não é possível que mamãe tenha jogado alguma coisa fora", ela tentou explicar com a sua lógica saudável de verdade. "Por acaso ela jogou todo o papel higiênico que fica no sótão?", perguntou ao pai.

"Isso, não", ele respondeu, "mas jogou fora os sapatos pretos que acabei de engraxar", insistiu.

"Então, depressa, antes que ela volte do mercado, vamos jogar fora todo o papel higiênico agora mesmo", ela tentou amenizar a irritação do pai. Eram os rolos de papel higiênico que mamãe havia afanado da alfândega, quando lá trabalhou no serviço de limpeza há quinze anos, e armazenado no sótão para qualquer imprevisto.

Também desta vez, quando Bianca veio de Haifa, carregou consigo no ônibus uns cinco rolos de papel higiênico para não precisar desperdiçar os da filha. A irmã ficava irritada com a mãe e explicava que ela tinha bastante dinheiro para papel higiênico, mas Bianca dizia: "Desculpe, mas meu traseiro não precisa desse papel rosado e fino. Ele se desmancha na minha mão. Meu traseiro" – e quando dizia isso acrescentava sempre pardon, porque achava que estava falando um palavrão – "está acostumado ao papel higiênico áspero da alfândega". Ela percebeu que seria impossível mudar hábitos de anos e permitiu que a mãe colocasse no banheiro os rolos de papel higiênico para seu uso particular. Mas assim que Bianca saía de sua casa, apressava-se em jogar fora o papel higiênico de trinta anos que a mãe havia deixado no banheiro.

"Você enlouqueceu", disse-lhe o pai com medo, "ela me mataria se eu jogasse fora o papel higiênico dela". Ele conseguia entender, mesmo com a mente confusa, que não era conveniente irritar Bianca agora, porque só restava ela para cuidar dele.

Ela e o pai começaram a procurar os sapatos pretos e bem engraxados. Procuraram embaixo da cama, embaixo do cobertor, em cima da máquina de costura da mãe, em cima do armário, embaixo do armário, entre todos os álbuns, e não havia sinal dos sapatos. Ela mostrou ao pai os sapatos marrons pois talvez estivesse se referindo a esses, que estavam engraxados e brilhando, porque ele já não saía de casa havia muito tempo. Ele ficou muito irritado e disse que estava se referindo aos sapatos pretos que ainda agora havia acabado de engraxar. Lembrava-se muito bem que eram os sapatos pretos que ele estava procurando, e como prova trouxe a graxa preta com o pano, que indicavam terem sido usados agorinha para dar brilho. A filha, então, arrastou todos os móveis abarrotados de coisas do lugar, mas nada encontrou. Ela procurou até na lata do lixo, lá fora, quem sabe o pai tinha razão, para variar, e a mãe tinha, de fato, jogado os sapatos fora. Ficou espantada ao achar na lata do lixo muita comida espalhada, sem saco plástico, sem nada. Havia lá uma caixa de cottage que parecia estar bastante cheia, queijo de cabra Canaã sem sal, que a mãe comia regularmente porque sofria de hipertensão, e até cascas de pepino embaladas num saquinho, que a mãe sempre guardava na geladeira para colocar na testa quente. Isso lhe pareceu muito estranho, mas como a grande lata do lixo era compartilhada por todos os vizinhos, pensou que talvez alguém tivesse feito uma limpeza na geladeira. Ela voltou à casa dos pais, foi até a geladeira e a abriu. A geladeira estava completamente vazia. Não havia nada dentro dela. Então ela abriu a porta do congelador e ali, sobre a prateleira, estavam os sapatos engraxados de preto em todo o seu esplendor.

"Por que você jogou a comida fora?", ela perguntou ao pai que, obviamente, não se lembrava de nada.

"Para fazer espaço para os sapatos", ele respondeu.

"Mas por que no congelador?", ela quis entender o raciocínio dele.

"Porque no congelador conserva mais tempo, assim como a carne", o pai lhe explicou.

Hebraico é um idioma difícil

Escorreguei pelo corrimão de mármore das escadas na saída da escola, como vento, e senti que eu havia me cortado com os estilhaços de vidro que havia nele. Cheguei ao final do corrimão pingando sangue. Meu traseiro estava cheio de estilhaços e eu não podia arrancá-los, porque estavam atrás.

Eu sabia que minha irmã terminaria as aulas só uma hora depois, então fui ao escritório onde papai trabalhava. Nessa época ele era corretor, mas ali também não ganhava nenhum dinheiro. Papai me levou ao ambulatório e logo deram pontos no meu traseiro. Desta vez eu não precisaria tomar vacina antitetânica, pois já havia tomado três meses atrás, quando pulei sobre o corrimão e caí em cima de uma barra de ferro.

A enfermeira, que já me conhecia, repreendeu papai, dizendo-lhe que cuidasse melhor da sua filha selvagem, e papai disse a ela que uma cicatriz no traseiro até que ficaria sexy numa menina de oito anos e meio.

Quando voltamos para casa, minha irmã se jogou em cima de papai e lhe perguntou o que a mamãe estava fazendo hoje na escola.

"Ela estava substituindo a faxineira que está doente", papai explicou à minha irritada irmã.

"Por que tinha que ser logo na minha escola?", minha irmã perguntou.

"Porque ali talvez ela possa, finalmente, ter um trabalho estável", papai explicou à minha irmã que ficou muda.

Técnica em contabilidade procura trabalho de serviço doméstico ou qualquer trabalho físico de outra natureza que não exija conhecimento de hebraico. Fala romeno, iídiche, um pouco de francês, e não ouve bem. Este, provavelmente, seria o anúncio que mamãe teria redigido se fosse procurar trabalho pelos classificados do jornal. Para mamãe, o mais importante de tudo era ter um trabalho estável, e estabilidade só era possível obter num emprego do governo.

Ela sonhava com estabilidade para que pudesse finalmente faltar ao trabalho sem ser descontada do salário. Mas o mais importante nisso tudo era a aposentadoria. Uma mulher com aposentadoria era uma mulher com status. Aposentadoria representava segurança durante os trinta anos seguintes. Significava que a partir daquele momento era perfeitamente possível economizar para o dote das filhas, uma vez que já estaria garantida a sua velhice, já que tinha uma aposentadoria e não iria, Deus a livre, cair como um peso sobre as costas das filhas.

No dia seguinte, depois das aulas, minha irmã e suas amigas, Malka e Tova, estavam me esperando no portão da escola para voltarmos juntas para casa. Papai fez com que minha irmã prometesse que voltaria sempre comigo para que eu não escorregasse de novo e rompesse os pontos do traseiro.

Tova perguntou à minha irmã se a nossa mãe estava agora limpando as salas de aula.

Como minha irmã ficou com vergonha de dizer que sim, eu disse a Tova que sim, “E até lhe prometeram estabilidade se ela limpasse bem”, acrescentei.

No dia seguinte, quando vi mamãe chegando à escola enquanto tocava o último sinal, entrei na primeira sala que ela havia começado a limpar e a ajudei a colocar as cadeiras sobre as mesas para que ela pudesse lavar o chão.

É que as crianças, por mais que a professora pedisse que tivessem consideração com a pessoa que fazia a limpeza e levantassem elas mesmas as cadeiras, depois das aulas, nem bem ouviam o sinal tocando, pulavam para fora antes que os professores, Deus as livre, começassem a dar mais aulas.

Minha irmã fingia que não estava vendo mamãe limpando a sala e corria com as amigas para casa. Eu, que nunca me importava com os outros, entrava para ajudar mamãe. Minha irmã argumentava que, como eu era bonita, podia me permitir a não dar importância ao que os outros diziam.

No dia seguinte, depois das aulas, também fiquei com mamãe na sala de aula e levantei as cadeiras, enquanto mamãe lavava o chão com muita água, pois não era por nossa conta. Além disso, naquela época não nos preocupávamos o dia inteiro com o nível de água do lago Tiberíades.

Minha irmã saiu, como sempre, com as amigas e, depois de se despedir delas no final da nossa rua, voltou à escola, entrou em silêncio na sala de aula e me ajudou a levantar as cadeiras e a varrer o chão.

No quarto dia de trabalho de mamãe na limpeza da nossa escola, já ficamos as duas depois do último sinal, levantamos as cadeiras e varremos as salas.

Mamãe não nos deixava lavar o chão até a idade de dezessete anos, para não estragarmos as mãos. Não nos deixava lavar em casa e, obviamente, nem no trabalho dela. As mãos são o dote de vocês, dizia sempre. E eu achava que o dote eram toalhas e lençóis. Pelo mesmo motivo não permitia que lavássemos louça em casa. Além do que, essa era a tarefa de papai.

No fim da semana mamãe pediu demissão do trabalho na escola, apesar da promessa de estabilidade. Ela não queria que suas filhas pequenas trabalhassem com limpeza depois das aulas. Ou em qualquer outra situação.

Mamãe foi aceita para trabalhar na alfândega e ficou feliz. Na alfândega, além de poder dizer, pelo menos uma vez por mês, que estava doente, podia também "arrastar" qualquer coisa que desejasse.

Em todos os lugares que mamãe havia trabalhado, ela afanava alguma coisa. Quando limpava casas particulares, não levava nada, porque é comum suspeitar da faxineira e, além disso, todos foram sempre muito gentis com ela e lhe davam todo tipo de coisas para as suas encantadoras filhas. Em contrapartida, num emprego do governo é diferente. A instituição pública tem dinheiro, e não há nenhum problema em roubar deles. Então mamãe pegava alguns lápis, algumas canetas, folhas de papel, alguns copos de chá, um pouco de açúcar, algumas bolinhas de sacarina, café, tudo para o nosso uso doméstico, é óbvio.

Da alfândega mamãe "arrastava" regularmente papel higiênico. Todos os dias voltava para casa com dois rolos de papel higiênico na bolsa. Depois de dois anos de trabalho na alfândega, não havia um só canto na casa que não estivesse entupido com papel higiênico. O sótão já estava explodindo com tantos rolos de papel higiênico, como se todos eles pudessem nos salvar da Terceira Guerra Mundial.

Mamãe trabalhava na alfândega das seis da manhã até o meio-dia e quando chegava em casa sentava para encurtar as saias plissadas.

Esse era o trabalho extra de mamãe, fazer bainhas em saias plissadas. Cada bainha desse tipo exigia uma habilidade especial da costureira, e mamãe, na verdade, não era costureira. Era preciso abrir a costura do cós da cintura por cima, e não por baixo, onde estavam as pregas do plissê. Depois de descosturar, cortava o quanto era preciso e, então, recolocava todas as pregas dentro do cós da cintura e costurava na máquina.

Às cinco da tarde mamãe corria para o seu terceiro trabalho no bar que ficava na esquina das ruas Neviim e Herzl, onde trabalhava na cozinha, preparando sanduíches, lavando louça e cortando a ponta dos pãezinhos para enfiar a salsicha dentro. Às onze da noite, quando o bar fechava para os fregueses, ela colocava as cadeiras em cima das mesas e lavava o chão, para que estivesse limpo no dia seguinte pela manhã.

À meia-noite, mamãe voltava para casa se arrastando, com um grande saco de plástico com pontas. As pontas cortadas dos pãezinhos para enfiar a salsicha dentro eram o manjar que minha irmã e eu esperávamos durante o dia inteiro. Comíamos tantas pontas de pão, que íamos dormir com uma terrível dor de barriga. Às vezes, para variar, mamãe fritava as pontas e espalhava açúcar em cima. Ela chamava isso de cabeças de torrada americana, e muitas vezes convidávamos Tzila, Rochama e Linda, que moravam em cima, para virem compartilhar das nossas pontas fritas.

Na escola, quando todas as crianças pegavam seus sanduíches, depois que acabavam de nos servir a merenda por conta do governo, minha irmã e eu pegávamos as nossas pontas e todos tinham inveja de nós.

Mas mamãe sempre nos envergonhava. Quando vinha trazer a minha capa de chuva à sala de aula porque eu havia esquecido em casa, ou melhor, eu não queria trazer pois era feia de espantar, mamãe batia na porta da sala, desculpava-se com seu forte sotaque romeno, dizendo: "É para Ipale, para que não fique molhada na água."

Naquele instante eu queria literalmente entrar num buraco, para sempre, e não me expor mais às risadas das crianças – além de ser romena, ainda me chamavam em casa de Ipale!

Ficávamos envergonhadas quando mamãe pegava o sanduíche no meio do filme e nos dava para comer, fazendo ruído com o papel de embrulho, o plástico e o fio elástico que envolviam o sanduíche para que ficasse fresquinho e não secasse, bem como com as expressões de incentivo em romeno para que comêssemos, de modo que todos os que iam ao cinema ficavam sabendo que éramos romenas e, além disso, o que, exatamente, havia dentro do nosso sanduíche.

E, é óbvio, também ficávamos envergonhadas no ônibus, quando ela reduzia os nossos melhores anos de vida para podermos entrar de graça. Caso o motorista duvidasse, ela nos pedia que fizéssemos a manobra dos olhos. Muito envergonhadas, de verdade, olhávamos para o motorista com olhos penetrantes e tristonhos, de forma que seu coração judaico e piedoso não permitisse que nos mandasse descer do ônibus, contentando-se com o meio bilhete que mamãe lhe dava. Na verdade, ficávamos com os olhos tristes só em pensar que tínhamos que subir as íngremes encostas de Haifa a pé, em vez de irmos confortavelmente de ônibus. Quando a manobra não dava certo, deixávamos escapar baixinho um "nazista", para que pelo menos o motorista soubesse o que ele representava para nós, e então ficava muito ofendido.

Quando chegávamos ao nosso ponto e descíamos do ônibus sem pagar, se mamãe visse um mendigo, dava-lhe todo o dinheiro que havia economizado com a viagem, virava-se para nós, feliz da vida, e dizia:

"Estão vendo por que é importante entrar de graça no ônibus?"

Pouco antes das eleições, finalmente fomos aceitas na colônia do Partido dos Trabalhadores com pistolão, isso depois de papai ter feito muitas campanhas, quer dizer, ter "emprestado" a nossa casa para reuniões do partido ou para palestras e ter levado todos os vizinhos marroquinos e curdos que coubessem no nosso minúsculo apartamento, e mesmo todo Wadi Salib (papai simplesmente dizia que haveria boa comida e que valia a pena comparecer, e que depois de tudo seria permitido também levar as sobras para casa). Essa era a época em que papai florescia, no período das eleições, e ganhava, nos dois meses que antecediam as eleições, para o ano inteiro. Mas o maior ganho de papai no Partido aconteceu, de fato, na última semana antes das eleições. E, assim, ganhamos a maravilhosa colônia de férias, no esquema de internato, ou seja, com pernoite, refeições, atividades de macramê e cerâmica, resumindo, um "Club Med" grátis para as filhas de Frank.

Quando mamãe nos levou ao ponto de encontro para a viagem à colônia de férias, foi empurrando todo mundo, mentindo ao dizer que já estava na fila e havia saído só por um instante, e nos enfiou antes de todos para dentro do ônibus. Ela achava que quem entrasse primeiro no ônibus receberia as melhores camas e, com certeza, a melhor comida. Mamãe não esqueceu de dizer ao orientador, em puro iídiche, que prestasse atenção para que comêssemos tudo, porque por causa disso ela estava pagando uma fortuna para a colônia de férias.

Ficávamos com vergonha por causa de mamãe nas longas filas do ambulatório, quando ela sempre falsificava o número, ou dizia, cheia de segurança, depois de ver o número lá dentro, dois números a mais. Corria o risco de que alguém tivesse o número que ela havia dito, mas sempre era possível pedir desculpas e dizer que se enganara, e assim, sem nenhuma vergonha, quando tínhamos o número noventa e oito, entrávamos no lugar do número quarenta e três.

Ficávamos envergonhadas quando mamãe não escutava o que lhe diziam porque ouvia mal, quando não entendia o que lhe diziam porque não sabia hebraico, ou quando fingia que não estava ouvindo ou entendendo porque não lhe convinha.

Quando mamãe movia a cabeça energicamente, sabíamos logo que não estava entendendo nenhuma palavra do que lhe diziam e tínhamos que explicar em voz alta e em romeno, é óbvio, tudo o que um bebê entenderia em hebraico, enquanto todos os olhares do mundo se dirigiam a nós.

O que mais nos causava vergonha em nossa mãe era que ela não sabia hebraico. Por causa disso, minha irmã e eu éramos obrigadas a falar romeno.

Como a nossa casa vinham muito mais amigos sefaraditas do que asquenazitas, eles aprenderam a falar com nossa mãe em romeno, principalmente no que se referia à comida, é óbvio. Na nossa casa ninguém citava Bialik ou Alterman, ninguém conhecia os livros de Sholem Aleichem e, além de Ben-Gurion, só se falava de comida.

E quando mamãe gritava da varanda: *"Fila, Rinutza, vino smancatz"*, toda a rua Stanton a imitava. Até hoje é possível andar pela Stanton, onde agora só moram árabes, e ouvir a voz de mamãe nos chamando em romeno para irmos comer. Nós sentíamos tanta vergonha, enquanto mamãe não se importava com nada disso.

Quando Yael, nossa prima por parte de pai, vinha almoçar na nossa casa, recebia sempre a coxinha da asa, e nós morríamos de vergonha por mamãe e pela coxinha da asa que cabia a Yael. Mesmo quando tentávamos fazer umas manobras disfarçadas para trocar os pratos, não conseguíamos, pois mamãe, parecendo suspeitar disso, sentava-se perto de nós até que acabássemos de comer tudo; nós, então, engolíamos a comida sofrendo e sufocadas, e jurávamos que algum dia recompensaríamos Yael por todos os pedaços de frango que mamãe havia economizado em cima dela.

Por outro lado, quando Iosi, nosso primo por parte de mãe, vinha de Hadera para nos visitar, ganhava uma porção igual à nossa, e às vezes até maior, e nós ficávamos muito felizes. Iosi, além de ser nosso primo por parte de mãe, era o filho caçula de seu irmão mais velho – Niko, a quem mamãe dava todas as honras de primogênito. Fora isso, mamãe fazia, pelo que me parece, o seu cálculo frio, pois sabia que nós aproveitávamos muitas das nossas férias em Hadera, e não queria que lá em Hadera nos dessem a coxinha da asa.

Depois de nove dias em casa com pneumonia e doze dias após o nascimento de Ana, o homem chegou em casa, voltando do hospital com o semblante abatido. Ana havia contraído uma infecção muito forte no sangue. Trocaram o sangue, mas não conseguiram debelar a infecção. Ana estava em estado crítico.

À noite, a irmã dela, que acabava de chegar de Nova Iorque, veio visitá-la e percebeu o pavor estampado em seu rosto.

"O que aconteceu?", ela perguntou, achando que a irmã havia estado no hospital e se apavorado com o estado crítico de Ana.

"Você está parecendo uma sombra", a irmã disse, desculpando-se por não ter podido antecipar a viagem para ficar com ela nesses momentos difíceis.

"Tudo bem, mamãe cuidou de mim", ela disse à irmã.

Ela subiu na balança do banheiro e se deu conta de que havia perdido nove quilos em nove dias. Um quilo por dia. Como se quisesse ser solidária com Ana, que não ganhava peso.

No dia seguinte de manhã, foram ao hospital com a terrível sensação de que, chegando lá, não haveria a quem acariciar pelas aberturas da incubadora. Durante vinte e cinco longos minutos não trocaram nenhuma palavra, por todo o caminho até o hospital Kaplan em Rechovot, como se qualquer comentário pudesse ameaçar a vida do bebê. Chegaram ofegantes ao departamento pediátrico, e o homem a ajudou a amarrar o jaleco verde e colocar a máscara no rosto, sem deixar de segurá-la para que não desmoronasse, pois ainda não havia se recuperado completamente da pneumonia.

O Dr. Alkalai lhes informou que o estado de Ana era gravíssimo. O *air way* que mantinha a boquinha do bebê aberta para respiração se infectou e provocou uma gangrena no rosto e na cavidade bucal. O fígado estava dilatado e os rins não funcionavam. O bebê estava inchado por retenção de líquidos e, se não urinasse nas vinte e quatro horas seguintes, não sobreviveria. Tinha convulsões no corpo todo por falta de oxigênio e era difícil saber se havia lesão cerebral. Ele explicou aos pais que o bebê estava recebendo três tipos diferentes de antibiótico e também transfusão de plasma. "Estamos fazendo tudo o que é possível, e o resto está nas mãos de Deus", o médico acrescentou.

Eles permaneceram por um longo tempo ao lado do bebê, apesar de saberem que Ana não tinha consciência da presença deles. "A filha de vocês está em boas mãos. Vocês não têm mais o que fazer aqui hoje", disse-lhes com uma delicadeza surpreendente para uma pessoa do porte do Dr. Alkalai. "As chances dela são mínimas, um por cento, talvez. Só um milagre poderá salvá-la. Espero que vocês acreditem em milagres", acrescentou.

"Que tipo de milagre pode acontecer?", ela perguntou.

"Se ela urinar nas próximas horas, este será o milagre", o Dr. Alkalai voltou a dizer.

O homem queria que ela voltasse à cama quente, mas depois de uma certa hesitação, os dois decidiram permanecer com a sua filhinha no hospital. Foram tomar café na cantina, mas o café estava frio e sem gosto.

Quando ela telefonou à irmã para pedir que viesse ficar com eles, o cunhado informou que a mulher havia viajado até Haifa, porque o estado do pai havia piorado e ele teve de ser internado no hospital. Nesse momento, ela pensou de forma bastante egoísta, lamentando-se que não poderia mais pedir a ajuda da mãe para que viesse ficar com ela.

"Talvez seja até bom não termos telefone", ela disse ao marido.

"Por quê?", ele perguntou.

"Porque assim não receberemos más notícias", ela disse. "Na casa de meus pais não tínhamos telefone por falta de dinheiro", ela contou ao marido enquanto tomava o café sem gosto, "e a única vez que ligaram para nossa vizinha me chamando foi para comunicar que a irmã de Varda havia conseguido finalmente se suicidar".

"Quem é Varda?", ele perguntou, como se essa fosse a pergunta mais importante.

"Lembra-se da mãe da minha amiga, a quem você doou sangue quando não conseguiram achar a minha veia no hospital Hadassa, em Jerusalém?"

"Então essa era Varda."

"Não. Essa era a mãe dela que havia ficado muito doente depois que a filha, a irmã de Varda, minha amiga, se suicidara. Ela ficou um ano inteiro tentando se matar. Por duas vezes entrou no mar e tentou se afogar, uma outra vez pulou do terceiro andar mas só ficou ferida, em outra ocasião ficou parada nos trilhos do trem mas acabou perdendo a coragem e, por último, tomou uma quantidade muito grande de soníferos que havia conseguido esconder dos pais e juntado durante o ano inteiro."

"Mas, por quê?", ele perguntou espantado.

"Ela queria morrer", ela respondeu, "e Varda contava só para mim todas as tentativas de suicídio da irmã durante o ano. Até que por fim conseguiu, e Varda telefonou à minha vizinha para comunicar que a irmã havia conseguido cumprir a tarefa. Foi assim que ela disse".

"Você foi ao enterro?"

"Não", ela respondeu. "No dia seguinte tínhamos prova de história na conclusão do secundário e eu ainda não havia começado a estudar. Então, a partir do instante daquele telefonema me sentei para estudar e não parei até a hora da prova. No intervalo da prova, todos os fumantes, inclusive eu, corremos até o banheiro para fumar. De repente o diretor entrou no banheiro das meninas, enquanto todas nós estávamos fumando, e pediu que saíssemos de lá. Quando íamos saindo, morrendo de medo que anulasse a nossa prova por nos pegar fumando, ele me pediu para ficar e perguntou, depois que todas saíram, como estava Varda, porque sabia que eu era a melhor amiga dela. Eu disse que ela estava bem, enquanto pensava apenas em como disfarçar as ondas de fumaça que saíam do cigarro escondido às minhas costas. Eu esperava que ele talvez nem tivesse prestado atenção à fumaça que saía de mim. 'Você tem certeza?', ele perguntou. 'Talvez agora fique mais fácil para todos', eu disse com a ingenuidade de uma moça de dezoito anos. 'Você acha que eu devo ir visitá-los durante a semana de luto?', o diretor que metia medo em todos os alunos pediu meu conselho. 'Em outras circunstâncias eles até ficariam felizes', respondi. 'Obrigado. Pode continuar fumando', disse o diretor, e saiu do banheiro das meninas. O diretor, de quem todos sentiam um medo mortal, havia se revelado um homem sensível e compreensivo, e parecia triste quando perguntou como estava Varda. Ele realmente estava preocupado com Varda e seus pais. E você sabe o que é mais triste em toda essa história? É que esse diretor, que já era um senhor de idade, tinha um filho único. Você se lembra de Djindji, Amiram e Moshe, que estiveram na nossa casa em Barcelona?"

"É óbvio que me lembro. Fomos juntos a uma tourada."

"Não fui com vocês", ela comentou, "mas eles me contaram que o filho único do diretor havia morrido de câncer, ao completar dezoito anos. Filho único", ela disse baixinho.

"Vamos falar de coisas alegres", propôs ele.

"O que, por exemplo?", ela perguntou.

"Por exemplo, que os meus pais chegarão na próxima semana para ficar conosco", ele disse.

"Que bom", ela respondeu, e no íntimo estava torcendo para que eles estivessem com o espírito alegre para atendê-los.

À noite dormiram no banco da sala de espera contígua à incubadora, apoiados um na dor do outro, até que o Dr. Moguilner os cutucou com delicadeza às quatro horas da manhã, anunciando que o milagre tinha acontecido e que Ana havia urinado.

"E o que será feito agora?", o homem perguntou ao Dr. Moguilner.

"Continuem rezando", ele respondeu. "A bactéria causou danos e agora é preciso cuidar deles. Pelo visto conseguimos debelar a infecção no sangue, mas infelizmente a bactéria provocada pelos esparadrapos que sustentavam o *air way*, e que causou a gangrena no rosto e na cavidade bucal, causou também uma fenda no palato e uma grave infecção nos ouvidos."

Durante três semanas ela aparecia diariamente na incubadora às sete da manhã; o homem se juntava a ela à tarde após o trabalho e à noite eles voltavam angustiados para a casa vazia. Ele enchia a banheira para ela, massageava-lhe as costas, mas havia parado de trombetear no seu ouvido. Na maior parte do tempo, ficavam sozinhos com a dor e com o medo paralisante da espera. A irmã dela vinha para ficar com eles em pequenas interrupções que fazia na sua permanência junto ao pai, que havia tido uma grave embolia cerebral, e às vezes era a irmã dele que lhes fazia companhia na incubadora, mas tão fragilizada quanto eles. Os pais dele chegaram para permanecer por dez dias, olharam para Ana na incubadora, balançaram a cabeça para os lados e se calaram. Era como se receassem dizer alguma coisa e piorassem ainda mais a situação.

Todos os dias e o dia inteiro ela cantava para a filha a canção "A menina mais bonita do jardim tem os olhos mais bonitos do jardim e a trança mais bonita do jardim", e não lhe importava que o bebê não tivesse nenhuma trança e que o cabelo ainda não houvesse crescido. Ana era a menina mais bonita da incubadora, apesar dos curativos no rosto, e a mãe não parava de cantar essa maravilhosa música. Ela não sabia a letra de outras canções, pois nunca havia gostado de canto em conjunto e, quando todos cantavam as canções da bela terra de Israel nas excursões da escola, ela cantarolava baixinho os Beatles ou Cliff Richard. Até que apareceu Iehudit Ravitz para lhe salvar a honra com a canção "A menina mais bonita do jardim", e finalmente ela teve a prova de que estava disposta a cantar as músicas cujas letras lhe tocavam de perto.

Os médicos e as enfermeiras cuidaram de Ana com uma dedicação comovente. Faziam sucção cinco vezes por dia para aspirar o pus que se acumulava na cavidade bucal e nos ouvidos, e às vezes a espetavam três ou quatro vezes por dia até conseguirem achar uma veia para transfusão de plasma ou antibiótico, ou mesmo para o exame de sangue diário. É desumano ver uma jovem mãe observando como pegavam sua pequenina filha, com peso inferior a três quilos, e a espetavam na cabeça um bom número de vezes. É desumano até para uma mãe experiente. Ela foi sabendo discernir, com o tempo, quem tinha as mãos de ouro e a espetadela doía menos, de acordo com o vigor do choro de Ana no momento de espetar, e recusava enfaticamente que um médico inexperiente espetasse a sua Ana.

Cada espetadela e cada choro da filha lhe furavam a alma. Ela ficava pensando consigo mesma que se fosse possível examinar a alma com um microscópio iriam achar cortes e mais cortes na sua alma, tantos cortes quantas foram as espetadelas em Ana.

Um dia, quando Ana abriu largamente a boca, como se quisesse gritar para que parassem de machucá-la, a mãe viu, de repente, que o bebê não tinha a úvula palatina.

"Ela não tem a úvula", ela disse a Zohara, a enfermeira chefe.

"Úvula?", a enfermeira perguntou.

"Sim, aquela campainha na cavidade bucal, no fundo", ela precisou explicar à enfermeira o que era úvula.

"Ah, isso. Sim, é verdade, já havíamos percebido. Não se preocupe, pois isso não tem nenhuma importância clínica."

Apesar disso, a mãe perguntou ao Dr. Alkalai qual a função da úvula no corpo humano, mas ele também argumentou que não existe nenhuma importância clínica conhecida.

Três semanas depois, na sexta-feira, quando ela entrou às sete da manhã na incubadora, parou petrificada, como uma estátua de sal. O espaço onde ficava a incubadora de Ana estava vazio e ela já havia notado, depois de semanas de permanência no hospital, que um espaço vazio significava que o prematuro não havia sobrevivido à noite. Ela ficou parada no lugar, perto do espaço vazio. Congelada. Até que de repente Zohara, a enfermeira encantadora que desde o primeiro momento lhe havia agradado, a viu. Zohara estava alimentando um menininho ou menininha na incubadora ao lado da janela. Ela sorriu para a mãe, percebendo o olhar de terror estampado no seu rosto, e a chamou para ir até onde ela estava, junto à janela.

"Trocamos Ana de lugar, para perto da janela, para que absorva um pouco dos raios do sol. Venha, continue você mesma alimentando o seu bebê com a sonda."

Ela se aproximou da janela, ainda hesitante, com dificuldade de retornar à vida de uma só vez, e viu os raios de luz iluminando o corpinho nu de Ana com um tom levemente rosado, como se houvesse se bronzeado com meia hora de sol. Até mesmo o seu rosto com os curativos estava um pouco rosado.

"Hoje ela está se sentindo bem melhor, então decidimos trazê-la para perto da luz", Zohara explicou, passando o bebê para o colo da mãe.

"Obrigada", ela disse a Zohara, mas estava se referindo a Deus.

Ela olhou para a grama pela janela e rezou para que chegasse o momento em que dançaria com Ana lá fora, quando não estivesse mais ligada às infusões e transfusões de sangue.

À noite eles foram até a casa da irmã dela para a refeição festiva de *Purim*, e lá encontraram a mãe, que a irmã havia trazido a Tel-Aviv para arejar um pouco da permanência no hospital com o pai. Bianca contou que naquela manhã havia estado na gruta de Elias, o Profeta, e que havia rezado pelo marido e pela neta, para que se curassem completamente.

Quando voltaram para casa, ela disse ao marido que queria doar para o setor de prematuros do hospital os mil dólares que haviam recebido dos tios dele de Paris pelo nascimento de Ana. O marido não foi contra, apesar de ela saber que com esse dinheiro ele pretendia comprar uma videofilmadora.

No dia seguinte pela manhã, cinco semanas depois de nascer, Ana sorriu para eles pela primeira vez. Só para eles, os pais, ela sorriu com um olhar de reconhecimento e gratidão. Quando um médico ou enfermeira vestindo uniforme verde se aproximavam dela, Ana recomeçava a chorar, como se soubesse que iriam espetá-la de novo.

"Bem, eles todos lhe parecem alienígenas", o homem fez com que ela risse. "Até eu choraria o dia inteiro se pessoas verdes ficassem me rodeando o tempo todo."

Ela pegou a filha nos braços e, quando ergueu os olhos, viu de repente pela janela redonda da incubadora um palhaço lhe acenando com a mão. Ela olhou para ele pensando que estava tendo uma visão, afinal, de onde tinha vindo esse palhaço? Havia caído do céu? O palhaço acenou mais uma vez com a mão e fez umas caretas engraçadas. Fez sinal para que ela se aproximasse dele e, quando ela saiu ao seu encontro, lhe deu um balão azul muito brilhante. Ela viu que no balão estava escrito com letras vermelhas e bem desenhadas: *Eu te amo, mamãe.*

"Isso é para você", disse o palhaço. Enquanto ela o observava admirada, viu mais três palhaços andando pelo corredor do departamento, distribuindo balões e doces para as crianças. E então ela se lembrou que aquele dia era *Purim.* Ela voltou à incubadora e amarrou o balão no suporte onde ficava a transfusão de Ana.

Ana sorriu novamente para eles, e para o balão azul brilhante.

À meia-noite a vizinha bateu à porta e disse que havia um telefonema urgente para eles. Quando ela se aproximou do telefone com as mãos trêmulas e pegou o fone, sua irmã anunciou que o pai delas havia falecido. Ela começou a chorar enquanto seu marido a segurava pelos ombros, temendo que desmoronasse; ela então lhe disse que aquele choro era de alívio. Alívio porque não era Ana e alívio pelo fim da cota de sofrimento do pai.

Circo Medrano

O circo Medrano finalmente chegou a Haifa. Ele sempre ia antes a Tel-Aviv, depois a Jerusalém e, por fim, a Haifa, ainda que a nossa cidade fosse a mais bonita do país.

Era como o desfile do Exército israelense no dia da Independência, que ia antes a Jerusalém, nossa capital, depois a Tel-Aviv, e, só no final, a Haifa.

Minha irmã e eu queríamos vestir roupas da última remessa que havíamos recebido de Fima e Sami para irmos ao circo. Porém, papai disse que lamentava muito, mas o açougueiro que lhe havia prometido dois ingressos para o circo em troca da linda placa que papai havia feito para a porta da loja, no final das contas, não havia conseguido os ingressos que ia ganhar do cunhado que trabalhava na prefeitura.

Minha irmã se mostrou decepcionada, mas eu fui logo mentindo para meu pai, dizendo que esse circo idiota não me importava nem um pouco, para que não ficasse com o coração doendo por não ter dinheiro para levar as filhas queridas ao circo. Olhei para ele direto nos olhos, com a esperança de que não percebesse que eu também estava mortalmente decepcionada.

No dia seguinte à tarde, quando brincávamos lá embaixo de esconder, como fazíamos sempre, Fila me disse que iríamos sozinhas ao circo.

"Mas não estamos bem-vestidas", eu disse.

"De qualquer forma, não poderemos entrar. Vamos ficar só por perto, talvez possamos ver os elefantes", minha irmã disse.

Ficamos dando voltas pela cerca e, de repente, vimos uma pequena brecha.

A ocasião faz o ladrão – era exatamente isso que essa brecha representava.

Ficamos pensando no que fazer: continuar andando ou entrar sorrateiramente no circo. De maneira inesperada, minha irmã segurou minha mão com força e nos enfiamos pela brecha adentro.

Fiquei desconcertada. Como Fila, que era mais medrosa do que eu, se atrevia a penetrar no circo, quando era óbvio que as dezenas de guardas que rondavam o lugar estavam ali só para flagrar crianças que entravam de forma irregular, levá-las aos pais e intimidá-los? Minha irmã ordenou que eu andasse empertigada, da mesma maneira que me exercitava em casa, quando me obrigava a andar com livros sobre a cabeça, para que eu não tivesse uma corcunda como a de Avraham, da quitanda. Andávamos, as duas, como dois robôs, caminhando com pequenos passos assim como as japonesas, fingindo que não estávamos olhando para os lados por causa do medo. Quando chegamos a uma torneira de água, lavamos o rosto e passamos as mãos molhadas no cabelo e nas roupas para disfarçar a pobreza, e depois prosseguimos empertigadas e tremendo de medo, até que nos misturamos com a multidão exultante.

Era hora de intervalo, e todos circulavam por ali com algodão-doce, balões, maçãs do amor carameladas, tudo isso ao som da música mágica que se costumava tocar no circo.

De repente, apareceram na nossa frente tia Lika e tio Maks. Tia Lika era a irmã mais velha de mamãe e morava com o marido em Guivat Olga, numa casa própria com várias árvores frutíferas no jardim. Minha irmã me fez prometer que eu não diria nada aos tios sobre a nossa entrada irregular, para que não nos denunciassem, e quando nos perguntaram se havíamos aproveitado bem até a hora do intervalo, minha irmã revelou um amplo conhecimento sobre circos, enquanto eu apenas assentia com a cabeça de forma convincente, sem pronunciar uma única sílaba.

Minha inteligente irmã disse que já estava sem paciência e que queria assistir à segunda parte do espetáculo, o que era a mais pura verdade.

Maks tirou algum dinheiro do bolso e nos deu, para que comprássemos algodão-doce ou pirulito.

Eu não cabia em mim de tamanha alegria. Tanto por assistir ao circo sem que papai precisasse pagar, quanto pelo algodão-doce. A essência da concretização dos sonhos.

Despedimo-nos de tia Lika e tio Maks, e fui logo correndo para a carrocinha de algodão-doce. Mas Fila me puxou de volta com toda a força, pois afinal era um ano e oito meses mais velha do que eu, e por isso mesmo mais forte, e me explicou que ainda não estávamos fora de perigo que, de qualquer modo, tínhamos uma aparência suspeita, com as roupas desbotadas que havíamos recebido de Sami e Fima na penúltima remessa dos parentes deles da América, e que a qualquer momento um guarda poderia nos flagrar no nosso delito e pedir para ver os ingressos que não tínhamos.

"Então, o que faremos?", perguntei à minha irmã mais velha, que havia nos enfiado para dentro do circo, e ela me explicou que com o dinheiro que havíamos recebido dos tios deveríamos comprar um balão prateado brilhante, por se tratar de um balão muito caro, que só mesmo as pessoas com posses podiam comprar, e com um balão como esse, na opinião dela, ninguém poderia jamais suspeitar de nós como crianças sem recursos que precisavam entrar no circo sem pagar.

Despedi-me da carrocinha de algodão-doce lamentando, com um último olhar, e fomos comprar um balão prateado e suntuoso que não colocava sob suspeita meninas que entravam no circo sem pagar. Minha irmã foi logo escolhendo um balão vermelho, e eu, que tanto gostava de azul, não me atrevi a discutir com ela desta vez. Afinal, estávamos ali graças a ela.

Entramos na tenda gigantesca, duas meninas vestindo roupas desbotadas com um enorme balão vermelho prateado, que depois desapareceu no céu, enquanto a barriga continuava rangendo e desejando a carrocinha de algodão-doce cor-de-rosa. E, na verdade, ninguém suspeitou de nós. A segunda parte do espetáculo foi incrivelmente bonita.

Ela viajou com a irmã e a mãe até o hospital, e ficaram observando o corpo sem vida de Mosco. Ao lado delas estava todo um clã que acompanhava o doente que ocupava a cama contígua à do pai. Um homem do clã, de uns cinqüenta anos, aproximou-se delas e lhes disse, em tom de repreensão, que durante todo aquele sábado o pai delas havia pedido a presença da família.

"Como ele pedia?", a irmã perguntou. "Ele nos chamava?"

"Ele agitava as mãos como se dissesse 'De onde virá meu auxílio?'. Algumas vezes, eu e minha mulher nos aproximávamos dele para lhe dar de beber. Também lhe dei compota. Era a única coisa que queria comer. No final, ele chegou a chorar, como se quisesse se despedir de vocês. O coitado sofreu muito. Sofreu o sábado inteiro. Que a sua alma descanse em paz."

"Por que você não pediu para a enfermeira nos chamar?", a irmã perguntou, repreendendo o único homem que havia acompanhado seu pai nas últimas horas de vida.

"Eu pedi. A enfermeira consultou a ficha e disse que não estava achando o seu telefone."

"E as enfermeiras não se aproximaram dele?", a irmã se irritou novamente com o mundo inteiro, mas na verdade estava irritada principalmente com ela mesma.

"Você sabe como é o hospital no dia de sábado. Um cachorro pode se sentir menos abandonado do que um homem doente", respondeu o homem que havia sido piedoso com o pai delas.

"Durante toda a vida se dedicou a nós e não nos demos ao trabalho de ficar com ele quando mais precisava de nós", disse à irmã com muita dor, mas esta respondeu que ela não deveria se culpar, pois, afinal, estava cuidando da filha.

"Sou eu a criminosa", a irmã disse, caindo em profunda depressão com a perda do pai.

Durante a semana de luto, ela perguntou ao rabino da sinagoga sefaradita que o pai freqüentava em *Rosh Hashana* e *Yom Kippur*, qual era a função da úvula na visão do judaísmo. Ela sabia que os rabinos, ao contrário dos médicos, tinham uma resposta para tudo.

"A úvula representa um pacto que o Criador do mundo firmou com algumas pessoas especiais", o rabino respondeu quando veio consolar a família durante o luto pela morte do pai. "A úvula é uma barreira entre a alma e a voz que sai do ser humano. É como uma barreira que aconselha: 'Pense muito bem antes de pronunciar qualquer palavra, pois a partir do momento em que a palavra sai da sua boca, não lhe pertence mais. Torna-se uma propriedade de todos'. A Cabala afirma que por meio da sabedoria, ou, como alguns a denominam, o espírito divino, Deus criou o mundo, e que a sabedoria contém dez esferas. No *Sefer Ietzirá*, o Livro da Formação, cuja autoria se atribui ao patriarca Abrahão, nosso ancestral, consta: *Dez esferas do Nada correspondem ao número dos dez dedos, cinco e mais cinco, e um único pacto se encontra no meio, na forma da circuncisão da língua e da circuncisão da pele.* O pacto que foi firmado entre nós e Deus, na forma da circuncisão da pele do prepúcio, todos conhecemos. Mas na forma da circuncisão da língua, só pouquíssimos conseguiram alcançar. Você entende, minha filha, pouquíssimos, somente os eleitos conseguiram alcançar o pacto da circuncisão da língua entre Deus e o ser humano. E nesse pacto, a úvula é suprimida. Por que você está perguntando?", o rabino perguntou.

"Porque a úvula de minha filhinha foi suprimida", ela respondeu.

"Então você tem um bebê eleito", ele respondeu, e ela disse que gostaria que seu bebê fosse simplesmente saudável, apressando-se a voltar para o hospital, para junto da filha doente.

Quando estava com dois meses, Ana mamou pela primeira vez o leite materno. Zohara argumentava que o bebê precisava aprender a mamar e respirar alternadamente, e que não fazia sentido continuar a alimentá-la através da sonda diretamente no estômago. Ela foi treinando com o bebê durantes longas horas, com muita dedicação e amor, uma vez mamar e uma vez respirar, novamente mamar e novamente respirar. Na maioria das vezes, ela expulsava o alimento pela boca ou pela fissura do palato.

O Dr. Moguilner queria dar leite materno a Ana e, como a mãe não conseguia dar conta da quantidade necessária, disseram-lhe que mulheres religiosas consideravam uma boa ação doar seu próprio leite materno, quando necessário. Procuraram em Bnei-Brak e não conseguiram nada. Até que ela se lembrou da menininha Rivka, que havia nascido quase junto com Ana, com uma diferença de cinco minutos. Ela pegou no hospital o número do telefone deles, esperando que a generosidade do casal de religiosos fosse maior do que poderia encontrar em Ramat-Aviv, se encontrasse.

Telefonou, então, para a mãe de Rivka e, quando se apresentou, a mulher ficou muito feliz em falar com ela, logo perguntando como estava Ana. Disse também que, com freqüência, ela e o marido falavam deles, espantados com o destino da menininha. Sim, graças a Deus, a filhinha dela já estava pesando cinco quilos e meio. Quando ouviu que Ana não havia passado de três quilos, perguntou o que ela podia fazer para ajudar.

"Preciso do seu leite", ela disse. "Quer dizer, eu não, minha filha."

A mulher concordou imediatamente. Afirmou que tinha leite demais, que seus seios, na quarta gravidez, ficaram cheios de leite e que iria ficar muito feliz em dar para Ana.

"Quem salva uma vida é como se salvasse um mundo inteiro", acrescentou, e disse que se sentia muito honrada por terem se dirigido justamente a ela.

"Não sabíamos a quem nos dirigir", ela disse com sinceridade.

Todos os dias, após o trabalho, o homem ia até a casa deles e levava ao hospital duas mamadeiras cheias de leite materno, e ela, a quem Zohara havia transferido a batuta da alimentação, alimentava a filha com inúmeras interrupções para tomar ar.

Depois de três meses, pesando três quilos, Ana teve alta e os pais puderam levá-la para casa, com o compromisso de voltarem ao hospital três vezes por semana para exames e tratamento.

Eles penduraram no quarto dela uma tapeçaria colorida, para que fosse agradável para Ana, depois de todos os uniformes verdes e suportes de transfusão que ela via desde o dia do nascimento. Ela vestia o bebê com todas as lindas roupas que mandaram de Barcelona, as mesmas que ela olhava todas as noites, rezando para que a filha, algum dia, pudesse vestir. Ela tinha esperança de que em casa, com os pais que a amavam, Ana se fortaleceria e começaria a crescer.

Eles compraram chupetas e fizeram furos para que Ana pudesse respirar pela boca, mas, infelizmente, o bebê deles não gostava de chupeta e chupava o dedo, ficando sufocada, com falta de ar. A obstrução completa no nariz passou a ser um problema grave quando foram para casa, pois não havia mais a possibilidade de alimentar o bebê com a sonda. Com muita freqüência ela via os pequeninos punhos de Ana se agitando para o alto, suplicando por ar, e não havia ar. Ela se aproximava da filha e lhe abria a boquinha, e Ana olhava para a mãe com um olhar de agradecimento. Era como se estivesse dizendo: "Obrigada pelo ar que você está me dando." Ela ficava durante horas ao lado do bebê mantendo a sua boquinha aberta para que pudesse respirar e à noite eles se revezavam na vigilância. Às vezes ela acordava no meio da noite com pesadelos de que a filha estava sufocando, aproximava-se do berço e via o marido ali, de pé, segurando a boca de Ana e mantendo-a aberta para que pudesse respirar. Nada mais, além da filha, interessava a ela. O marido trabalhava e tentava se adaptar à vida em Israel, aprendendo o idioma e os hábitos locais, que, apesar das experiências que teve como turista, agora como cidadão lhe pareciam completamente diferentes. Infelizmente para ela, um amigo dele que havia imigrado ao país há dois anos e vivia com a mulher israelense em Rishon Letzion os convenceu a comprar apartamento naquela cidade. Como o casal tinha filhos pequenos, acharam que ia ser bom ficarem juntos. Tudo isso foi antes de Ana nascer. Depois do nascimento, nunca mais viram esses amigos. Como se o fato de estarem numa casa com uma criança doente pudesse ser contagioso.

Ela quis o apartamento de Rishon Letzion principalmente porque tinha uma varanda enorme de frente para uma paisagem campestre. Mas, para obter uma linha telefônica, estavam numa longa lista de espera, e de nada adiantaram os documentos que trouxeram do hospital comprovando que Ana era uma criança doente, porque a companhia Bezek não dispunha de linhas suficientes para atender à demanda. Assim ficaram desconectados do resto do mundo.

Ela sentia pena do marido, que havia abandonado uma vida confortável em Barcelona, uma vez que aqui, em Israel, tudo era tão difícil. Ganhava muito pouco no trabalho, em comparação ao que estava acostumado, não tinha amigos, a família estava longe, a mulher, triste e nervosa, e a filhinha, muito doente. A vida dele ficou invertida, assim como a escrita hebraica, e quando queria se acalmar nos braços da mulher, ela nunca tinha forças para ele, depois de ficar durante horas alimentando a filha, para que logo depois vomitasse o que havia comido.

Ele deixava o carro com ela para que pudesse ir ao hospital numa emergência e pegava três ônibus para o trabalho em Tel-Aviv; mesmo terminando o trabalho às cinco, chegava em casa às sete da noite e encontrava sua mulher tão pálida quanto a filha. Mas continuava otimista, mesmo quando já não havia dúvida de que Ana sofria de uma doença crônica no sangue, a medula não produzia glóbulos sanguíneos e o sistema imunológico era fraco.

Com seis meses de idade, Ana foi internada por mais três meses e recebeu alta quando pesava quatro quilos. Com nove meses de idade, tinha o peso de um bebê de um mês. Em todo esse período, Ana não digeriu nenhum alimento, estando por isso ligada a transfusões para receber líquidos para que não desidratasse. Novamente ocorreram problemas para achar veias, e ela era espetada algumas vezes por dia, enquanto cada espetadela rasgava seus pais em pedaços.

Ela permanecia no hospital todos os dias, das sete da manhã às sete da noite, quando chegava seu cunhado para revezar com ela até as dez da noite, até que o homem chegasse para ficar com Ana a noite inteira. Ela e o marido se encontravam em casa por um tempo curto, entre oito e nove da noite, quando ela fazia o relatório do nível de hemoglobina de Ana naquele dia e se havia recebido outra vez transfusão de sangue depois de três ou quatro espetadelas. Somente aos sábados se viam o dia inteiro, quando os dois juntos acompanhavam a filha. Durante toda a semana ela montava guarda, como uma leoa defendendo a filha de novas bactérias, porque no setor de pediatria não havia o mesmo grau de esterilização da incubadora. Ela temia que Ana, com seu sistema imunológico imperfeito, se contaminasse com as doenças à sua volta. Por isso havia trazido a banheira de Ana de casa e lhe dava banho só nessa banheira. As enfermeiras ficavam ofendidas e diziam que elas desinfetavam muito bem a pia com produtos desinfetantes fortes entre o banho de um bebê e o seguinte, mas ela argumentava que Ana tinha sua própria banheira, não deixando nenhuma enfermeira se aproximar de sua filha. Quando uma delas se aproximava para trocar as bolsas de transfusão, não se envergonhava em pedir que lavasse antes as mãos e se certificava de que a enfermeira havia lavado mesmo, principalmente quando, um segundo antes, havia cuidado de uma criança com problema nos intestinos. Mais que tudo, ela verificava se era de fato a transfusão correta e se não havia, Deus a livre, ocorrido algum erro acidentalmente. Ela não permitia que nenhum engano chegasse perto de sua filhinha doente. Havia dias em que estava completamente arrasada, com os nervos à flor da pele, e não permitia que a equipe médica se aproximasse de Ana. Seu marido lhe dizia que ela estava desafiando todos, mas ela respondia que era preferível que tivessem medo da sua loucura do que qualquer médico novato pensasse que poderia adquirir experiência em cima da filha deles.

Durante as longas horas em que permanecia no hospital, ela ficava observando com inveja as enfermeiras que se revezavam em seus plantões de oito horas, passando instruções umas às outras, e que depois de um dia de trabalho podiam voltar para casa, para seus maridos, seus filhos, seu lar. No plantão da noite ouvia a enfermeira dando instruções para o marido como dar banho no menino, preparar uma omelete com formato de rosto, pois só assim a criança comeria, colocando duas azeitonas no lugar dos olhos e algum pepino no lugar da boca para que comesse um pouco de verdura. Sentia muita inveja das pessoas saudáveis e normais que viviam em casas normais e comiam comida caseira normal, e não um sanduíche industrializado e sem gosto, e rezava pelo dia em que sua filha poderia comer sem vomitar.

Uma noite, quando o marido dormiu em casa porque estava gripado, o cunhado permaneceu a noite inteira ao lado do berço de Ana e, ao chegar ao hospital às seis da manhã, ele a recebeu com gritos de felicidade, pois uma hora antes haviam pesado o bebê – nos hospitais a vida começa com a alvorada – e informado a ele que Ana ultrapassara o limiar dos quatro quilos. O cunhado estava tão feliz, como se, por conta da noite que ele havia passado com o bebê, Ana tivesse, finalmente, aumentado de peso.

"E fora isso, como foi a noite?", ela perguntou ao cunhado.

"Não muito bem", ele reconheceu. "Foi necessário fazer uma transfusão de sangue e, como não conseguiam achar nenhuma veia a não ser no pescoço, tive que ficar segurando a cabeça de Ana a noite inteira para que não se mexesse e não soltasse a transfusão."

"Você ficou quatro horas segurando a cabeça dela?", a mãe perguntou.

"Sim", ele respondeu, "e depois desmaiei".

Ela argumentou com os médicos que, enquanto não fosse operada para liberar a obstrução no nariz, Ana não conseguiria ganhar peso e continuaria sempre vomitando. Em contrapartida, os médicos argumentavam que a cirurgia poderia ajudar por pouco tempo, pois o osso iria voltar a obstruir a passagem do ar, e, como a criança estava abatida, havia o risco de não resistir à cirurgia. O que veio antes, o ovo ou a galinha? Uma palavra a favor dos médicos é que, com o tempo, aprenderam a se aconselhar com ela, e não mudavam a medicação ou o tratamento sem antes perguntar a sua opinião. Eles perceberam que a intuição de uma mãe como ela, às vezes, superava a medicina que, com freqüência, comete erros. Além disso, a maldita bactéria havia causado tantos danos, que não existia nenhum setor no hospital em que Ana não houvesse recebido tratamento. Setor de ouvido, nariz e garganta, boca e maxilares, neurologia, intestinos, olhos e, é óbvio, hematologia. Mãe e filha eram transferidas de setor em setor, de radiografia dos pulmões a aspiração de pus no ouvido. Ela conhecia todos os médicos nos diferentes setores e não gostava deles. Excetuando os pediatras, ela recuava diante da arrogância dos demais médicos. Na sua opinião, os piores eram os do setor de ouvido, nariz e garganta, e ela, lamentavelmente, precisava deles mais do que de todos.

Ana tinha graves problemas nos ouvidos, que exigiam tratamento constante de drenagem de pus. Como ela era uma mulher jovem e atraente, a perna do médico roçava nela como se fosse sem querer, enquanto estava sentada diante dele com Ana no colo para que ele drenasse o pus do ouvido. Ela sorria para o médico, para que ele tratasse bem da filha, quando a sua vontade era dar-lhe um bom chute nos ovos. Isso a fez lembrar de um dia, cinco anos antes, quando estava parada num posto de gasolina na saída de Jerusalém a caminho de Tel-Aviv esperando pegar uma carona, pois, como sempre, não tinha dinheiro. Ela estava numa curva entre o final do posto de gasolina e a estrada, pois achava que ali era um bom lugar para pegar carona, porque os carros tinham que reduzir a velocidade, e então não ficava bem para os motoristas mentirem quando alguém lhes perguntava se estavam indo para Tel-Aviv.

Quando havia decidido se mudar para Jerusalém, tentou entrar na universidade, e foi, então, para lá fazer os testes psicométricos. Por fim, acabou sabendo que havia sido reprovada. Sabia que havia sido reprovada, pois nas provas que examinavam a sua adequação ao esquema acadêmico, entre outras coisas, ela jamais poderia passar, porque no lugar em que havia sido criada aprendera apenas como romper com qualquer esquema, e não se surpreendeu ao receber da universidade dois meses depois a carta dizendo: "Lamentamos lhe informar, mas você não foi considerada apta a realizar seus estudos de graduação em nossa instituição."

Estava lá parada, tentando pegar uma carona, uma moça de vinte e um anos que não havia sido considerada apta a fazer parte do esquema acadêmico, empertigada, os seios erguidos e provocantes, numa curva que ficava no final do posto de gasolina junto à estrada principal para Tel-Aviv, quando um carro com cinco homens fortes, com o aspecto típico de estarem mergulhados até a alma na malandragem israelense, reduziu a velocidade na curva. O carro quase parou ao seu lado e o homem que estava sentado perto do motorista esticou o braço e pegou no seio dela com força, como se quisesse tirar alguma vantagem da redução da velocidade e da moça com os seios erguidos na beira da estrada. O sangue romeno dela lhe subiu à cabeça.

Ela quis logo enfiar-lhe um tapa na cara, mas ele começou a fechar a janela do carro, como se dissesse "Já me satisfiz e agora vou me mandar."

Percebeu que se tentasse esbofeteá-lo sua mão poderia bater na janela. Mas numa fração de segundo, antes que a janela se fechasse, com o instinto de quem não consegue suportar uma humilhação, ela cuspiu no olho dele, uma cusparada cheia de saliva e vingança. Isso porque em Wadi Salib não havia qualquer possibilidade de que alguém agredisse você, além dos seus pais, e não recebesse de volta a agressão.

Ela viu a saliva lhe escorrendo no rosto e os amigos debochando dele, enquanto batiam palmas para ela. Eles também reconheciam o valor forte e elevado do preceito "olho por olho", ou melhor dizendo, "cusparada no olho".

Quando Ana completou onze meses e pesava cinco quilos, chegou um novo médico de ouvido, nariz e garganta para o setor e afirmou que estava disposto a correr o risco e operar o bebê. Acabara de chegar depois de cinco anos de especialização nos Estados Unidos, onde havia feito cirurgias semelhantes com sucesso. O Dr. Marshak concordou em correr o risco de operar a criança, mesmo que estivesse fragilizada, porque também acreditava que ela somente ganharia peso depois que conseguisse respirar pelo nariz.

"O que há de novo nessa sua cirurgia?", os pais perguntaram ao Dr. Marshak.

"Vou fazer uma incisão no palato, puxá-lo para baixo e depois serrar o septo nasal por dentro. Dessa forma não haverá risco de uma nova obstrução. E, na mesma oportunidade, vou costurar a fenda do palato", disse, sorrindo para eles.

"E quanto tempo essa cirurgia demora?", o homem perguntou.

"Aproximadamente quatro horas. É um bebê muito pequeno, por isso é muito mais complicado operá-lo", o cirurgião especialista explicou.

Eles assinaram com as mãos trêmulas os formulários da cirurgia, nos quais declaravam que não teriam nenhuma reivindicação ou reclamação se a cirurgia, Deus os livre, não fosse bem-sucedida.

Ana entrou na sala de cirurgia às oito da manhã. Quando a mãe entrou no banheiro para urinar, notou que o vaso sanitário ficou cheio de sangue. Ela havia urinado sangue, de tanto pavor.

Duas horas depois o Dr. Marshak saiu da sala de cirurgia e comunicou aos preocupados pais que a operação havia sido bem-sucedida e que eles podiam entrar na sala de recuperação para ficar com a filha.

"E quanto à fenda no palato?", o homem perguntou ao satisfeito médico.

"Foi como um aperitivo para mim", ele respondeu com orgulho.

Eles observaram como ela respirava por si mesma, com o rosto tranqüilo, sem a dor que a acompanhava quando era obrigada a lutar por cada tomada de ar. Eles voltaram com Ana para casa depois de cinco dias de internação e, em um mês, ela ganhou um quilo de peso. Até a idade de dois anos, Ana superou a defasagem do peso.

Os tumultos de Wadi Salib

Minha irmã permaneceu em casa lendo mais uma vez *Pequenas mulheres*, enquanto eu subi até a casa dos vizinhos sírios para brincar de bola com Rochama.

Como não tínhamos bola, jogávamos com uma melancia. Eu ficava sentada na ponta da cama e Rochama se sentava de frente para mim, na outra cama.

Ao contrário do nosso quarto, que era sobrecarregado no limite máximo, no quarto dos cinco filhos só havia camas, e nada além disso. Não havia nenhuma mesa, máquina de costura ou armário. Só camas e um chão brilhando, onde era possível até comer, como minha mãe sempre costumava dizer.

Eu não me atrevia a entrar no quarto de Nissim e Mazal. Tinha medo de Nissim, que batia nos filhos com o cinto, cada um na sua vez.

Quando papai explicou a Nissim que surras não adiantavam nada como um método de educação, Nissim respondeu que ele também, quando menino, apanhava do pai pancadas de morte na Síria e que ele era a prova de que nada havia lhe sucedido por causa disso. As surras davam imunidade para a vida difícil que esperava por você.

Eu jogava a melancia para Rochama do canto da cama onde eu estava, e ela jogava de volta da cama onde ela estava. Joguei de novo, e ela jogou mais forte. Joguei mais forte do que ela, e ela ficou de pé em cima da cama e jogou para mim com toda a força de uma menina de sete anos.

Rochama era um ano e meio mais nova do que eu, e fiquei nervosa, sem entender de onde uma menina tão pequena havia tirado tanta força para jogar uma melancia especialmente pesada como aquela.

Fiquei de pé em cima da cama, joguei com toda a força, mas falhei. A melancia caiu no chão limpo, onde era possível comer, e se despedaçou em muitos pedaços vermelhos, que se espalharam por todo o quarto.

Mazal entrou no quarto e viu a melancia despedaçada por todo o chão, e eu tive a certeza de que ela pegaria o cinto do marido e me espancaria por eu ter destruído a enorme melancia que haviam comprado para sábado, para comer depois da praia.

Mas Mazal chamou todos os seus filhos que brincavam lá embaixo para subirem à casa e me disse que eu descesse para chamar minha mãe e minha irmã e subisse de volta com elas. Mamãe justamente estava preparando polenta, mas eu disse a ela que largasse tudo e subisse comigo, caso contrário, Mazal me espancaria com o cinto de Nissim.

Minha irmã concordou em interromper a leitura de *Pequenas mulheres* por alguns minutos e fomos juntas ao andar de cima.

Quando entramos no quarto, Mazal e os cinco filhos estavam no chão, comendo a melancia espalhada por todos os cantos. Mazal nos convidou para que nos juntássemos a eles, pois se tratava de uma melancia especialmente grande, e assim nos sentamos com eles e atacamos a melancia espalhada pelo quarto.

Minha mãe riu. Não havia nenhum problema em comer do chão limpo de Mazal, que ficava diariamente de quatro lavando o piso, mesmo que o mundo acabasse.

Papai havia ensinado a Mazal jogar rúmi, e às vezes ela se juntava a eles na quinta mão. Por que somente na quinta mão? Para que não estragasse todo o jogo, Deus nos livre. Pois se Nissim chegasse de surpresa em casa e gritasse para que ela fosse logo para casa, Mazal saía afobada, deixando para trás todos os cubos de rúmi. Ela subia apressada para casa antes que ele tivesse um ataque e a proibisse de jogar rumi, perdendo seu tempo com aqueles romenos. Então ela o servia e se ocupava com ele, tirava-lhe os sapatos e sorria para ele como se gostasse dele de verdade.

Na última vez em que jogaram rúmi, papai convenceu Mazal a dizer para Nissim que na próxima vez que levantasse a mão para ela, não daria para ele à noite. O fato é que isso funcionou. Nissim parou de bater em Mazal, mas continuou a educar seus filhos com golpes de cinto. Jamais consegui entender por que os filhos não podiam também ameaçá-lo, dizendo que não dariam para ele à noite, para que não levassem mais surras.

Meu pai inventou o feminismo do fim dos anos cinqüenta em Stanton e dava abrigo em nossa casa para todas as mulheres ou crianças que haviam sido agredidas.

Em frente a nós vivia a família marroquina Abass. Era uma família com doze pessoas, em que todos batiam em todos. Os pais batiam nos filhos, os filhos mais velhos, nos filhos mais novos, e os mais novos, nos bebês. Todos ali queriam crescer rápido, para que chegasse a sua vez de bater no irmão mais novo.

E era óbvio que todos os filhos, os mais velhos e os mais novos, levavam surra dos pais.

Minha irmã tinha medo de ir à casa deles e também advertia para que não nos atrevêssemos a entrar no banheiro deles, mesmo quando não era possível conter a vontade, porque poderíamos cair dentro da fossa do banheiro. No nosso prédio, em Stanton, tínhamos banheiros com vaso sanitário, mas na casa da família Abass, que morava em frente a nós, o banheiro era uma fossa no chão. Minha irmã explicou que poderíamos ser sugadas para baixo, para dentro do buraco negro, enquanto fazíamos nossas necessidades.

Uma vez Tzila perguntou a Sefi onde, na opinião dela, ia dar aquele buraco negro e minha irmã, que sabia tudo, respondeu: "Com toda certeza, dá em Auschwitz."

No mesmo andar em que morávamos, o primeiro andar, no outro lado da escada, morava o polonês Iaakov. Ele penteava o cabelo de um lado para o outro, deixando crescer o cabelo de um lado e passando por cima da cabeça até o outro lado, pois a careca se recusava terminantemente a produzir cabelo. Iaakov tinha dois filhos albinos e gêmeos, que sempre recusavam comida. Iaakov levava os filhos para a nossa suntuosa praça, nossa praça de jogos particular na Stanton, número quarenta, e sentava os filhos no degrau de pedra, de forma que ficassem observando a nossa brincadeira. Ele pedia que fizéssemos competição de plantar bananeira e, enquanto os pequenos filhos albinos ficavam olhando, lhes enfiava na boca uma papa marrom não identificada. Não era de espantar que os albinos não quisessem comer. Parecia tão repugnante, que os albinos logo cuspiam a comida com nojo. Iaakov ou a mulher devolviam ao prato a papa ainda mais amarronzada que as crianças haviam cuspido e continuavam a lhes dar de comer a massa vomitada, como se nada tivesse acontecido. Apesar de odiar seus pais, sempre que os albinos me pediam, eu fazia espaguete para eles, pois sentia muita pena por serem obrigados a comer daquela maneira. Quando os albinos acabavam de comer, nós nos dispersávamos, cada um à sua casa, pois então já havia chegado a hora sagrada do descanso da tarde, entre as duas e as quatro horas. Minha irmã e eu íamos comer a nossa *ciorba*, com as meninas da família Jamal como convidadas; a família Abass ia comer a *muflata* deles; os albinos já haviam comido o vômito deles, e só não sabíamos o que se comia na casa de Marina, pois jamais havíamos sido convidados.

Marina era modelo. Não tenho certeza se era modelo de profissão, mas era, sem dúvida, no aspecto. Ela também se comportava como modelo, e estou certa de que se Calvin Klein a conhecesse nos dias de hoje a contrataria para o resto da vida, porque era tão magra que parecia transparente. Por causa da mania de limpeza, Marina não deixava sua filha, Nava, brincar conosco. Nava havia herdado a magreza da mãe, mas, ao contrário desta, que era séria, a filha era uma menina muito alegre, travessa e risonha. Quando Nava voltava da escola, era metida logo na banheira e ali era esfregada como se fosse um cavalo depois de uma galopada enlouquecida. A mãe dela removia cada cisco de sujeira que a menina havia absorvido na escola, debaixo das unhas e atrás das orelhas. Quando Marina acabava de dar brilho na filha transparente, também por causa de tanta escovação, dava-lhe uma fruta e a mandava direto para a cama. Nava nunca comia comida quente em casa, só na escola, porque Marina não queria sujar a cozinha fazendo comida. Ela era muito sensível a gás e a limpeza. Depois da sesta, Marina permitia que Nava ficasse sentada na varanda observando como nós, as crianças da rua, brincávamos. É óbvio que ela era proibida de descer para brincar com as crianças, para que não se sujasse. Também não podia convidar ninguém à sua casa, pois as crianças certamente a sujariam. Se Marina pudesse não mandar Nava à escola, certamente não mandaria, mas isso era impossível por causa da lei do ensino obrigatório. Esta lei foi a salvação das crianças de Wadi Salib, pois a maioria dos moradores do bairro não estudou na escola em seus países de origem e também não pretendia enviar seus filhos à escola em Israel. Mas quando a fiscalização bateu em suas casas e eles perceberam que, pela necessidade da absorção dos imigrantes de diversos países e pelo estudo do hebraico, era obrigatório enviar seus filhos à escola, os pais se conformaram, principalmente porque na escola os filhos recebiam um lanche de leite achocolatado e uma fruta às dez horas, bem como um almoço de comida quente, o que já compensava. Até mesmo os mais resistentes entenderam que no novo país as crianças deviam estudar até os quatorze anos, caso contrário, os pais seriam presos.

Mesmo nós, as asquenazitas, éramos consideradas perigosas aos olhos de Marina. De nada nos servia ter a pele clara e não ser como aqueles bárbaros morenos. O fato é que Nava também era proibida de brincar com as romenas.

Eu via o rosto miúdo da menina olhando pelas traves do último andar, onde moravam, observando-nos com inveja, as crianças do bairro brincando na rua, vendo a terra prometida sem poder descer até ali.

Quando pedimos a meu pai que fizesse alguma coisa pela coitada da menina, ele ergueu os ombros e disse: “Não há o que fazer, ela chegou assim do Holocausto.”

Contava-se que Marina, que tinha dezesseis anos quando estava no campo de extermínio, muito magra e bonita, era a prostituta do campo e satisfazia aos desejos dos oficiais da

Gestapo. Depois da guerra, não parava de se esfregar, o tempo todo, tentando em vão remover de seu corpo a imundície nazista, o mesmo fazendo com sua pequena filha, que nem sabia quem era o pai. Não sei como Marina foi parar no nosso prédio antes de todos, que era um prédio destinado aos policiais, mas ela também foi a primeira a sair de lá.

Uma noite papai parecia triste e nos disse que policiais atiraram em alguém que estava fazendo algazarra num bar e que certamente haveria problemas.

No dia seguinte pela manhã, acordamos com gritos e um grande alvoroço na rua. Saímos todos até a varanda e vimos subindo pela nossa rua uma multidão de pessoas segurando bandeiras pretas, bem como a bandeira do nosso país, azul e branca, manchada de sangue.

Eles jogavam pedras em todas as casas onde moravam asquenazitas, e Lutchi nos disse para entrarmos imediatamente, pois em pouco tempo a multidão chegaria à altura da nossa casa e jogaria pedras em nós também.

Fomos todos para dentro de casa, menos papai, que permaneceu sozinho parado na varanda, olhando seus companheiros de bairro fazendo arruaça.

Mamãe gritou para que ele entrasse imediatamente, mas papai se recusou.

"Quero ver só se vão jogar pedras em mim", ele disse. "Pois, afinal, sou um deles."

Ficamos espiando pela janela e vimos a multidão se aproximando da nossa casa, na rua Stanton, número quarenta.

De repente, um deles gritou para não tocarem na casa de Frank.

"Ele é um de nós, ele é romeno."

E todos continuaram a subir pela rua na direção de Hadar, enquanto jogavam pedras em qualquer um que suspeitassem ser asquenazita. Pularam a nossa casa.

Bem, mas isso não surpreende – meu pai, de fato, não era asquenazita.

"Quero mudar de apartamento", ela disse ao marido numa das brigas que ficaram mais freqüentes no último ano, cinco anos depois do casamento. "Estou aqui desconectada do mundo. Não tenho telefone e, como quero que você volte cedo para casa, não tenho carro, não há aqui comércio nas redondezas, bares, nem mesmo um supermercado como deve ser, e me sinto como uma prisioneira num apartamento de cobertura abandonado por Deus."

"Mas estamos morando aqui só há dois anos e meio", ele respondeu.

"Dois anos e meio e já é demais", ela disse. "Foi um erro e já pagamos por ele o suficiente."

"Vamos dar uma chance ao lugar. O bairro vai se desenvolver", falou ele, com toda a paciência possível.

"Não quero dar uma chance ao lugar", ela berrou com o marido. "Preciso de um apartamento que tenha acesso à vida e que seja próximo a um hospital. Você não tem idéia de como vivo apavorada quando você sai daqui com o carro. E como fica Ana? O que vai acontecer se de repente ela se sentir mal?"

"Em Barcelona mudamos de apartamento apenas uma vez em toda a minha vida", ele repetiu a ladainha de sempre.

"Talvez vocês não precisassem mais do que uma vez", ela disse. "Quero me mudar para perto da minha irmã, que vai me ajudar a cuidar de Ana. Você fica sentado, todas as noites, à sua mesa de trabalho, cuidando de seus pequenos assuntos particulares, e não divide comigo o suficiente a carga que tenho com Ana."

"Preciso sustentar a casa e tenho que me empenhar nesses estúpidos trabalhos extras para que possamos fechar o mês. Você sabe que para mim é muito importante progredir no trabalho, abrir meu próprio escritório, caso contrário, vou me sentir um derrotado", ele disse.

Mas ela só estava mergulhada na doença de Ana. Após a cirurgia, Ana passou a respirar pelo nariz e, de fato, ganhou peso, tentando superar a defasagem até o limite normal da idade, mas precisava de pesada medicação e de internações de um dia para tratamento venoso com hemoglobina para estabilizar seu sistema imunológico. Depois de voltarem do hospital após um longo dia de tratamento, a mãe esfregava Ana na banheira para "remover o hospital"; em seguida, enchia uma banheira para si e entrava nela, mortalmente enfraquecida. Como Ana era tratada no setor de hematologia oncológica, ela havia conhecido, com o correr dos anos, crianças doentes de câncer, que nas visitas seguintes não estavam mais lá. Cada vez que uma criança do setor morria, ela entrava em fortes depressões e era invadida por sentimentos de medo e impotência total. Então, despejava toda a raiva no apartamento de cobertura sem telefone e em qualquer pessoa que passasse perto dela.

Quanto mais ela falava da mudança de apartamento em meio a ataques histéricos que iam se agravando, mais ele se fechava em si mesmo, dizendo que, enquanto a histeria dela não passasse, não tinha o que falar com ela.

Numa dessas brigas, no carro, estavam a caminho da praia de Davush, onde haviam combinado de se encontrar com a irmã dela e sua família. Era a manhã de um dia de sábado.

"Não estou histérica e quero mudar de apartamento; caso contrário vou pular do telhado junto com Ana", disse ela ao marido.

"Não entendo como você passou a ficar...", ele disse e se calou.

"Passei a ficar o quê?", ela perguntou espantada.

"Igual à sua mãe. A única coisa que lhe importava na vida eram as filhas. Não se importava com o marido, consigo mesma, com nada. Só com as filhas."

"Você está querendo dizer que não me importo com você?", ela perguntou.

"Mesmo que você se importe comigo, não tem tempo para mim", ele respondeu. "Você está sempre, mas sempre mesmo, cansada à noite e eu não me atrevo a me aproximar de você."

"De fato, nesse período, sexo não passa pela minha cabeça", ela disse.

"Esse período já está durando mais de dois anos", ele respondeu.

"Não sei por que está reclamando. Cozinho para você os pratos que gosta, e sempre encontra uma casa arrumada e limpa mesmo quando passo o dia inteiro no hospital. Suas roupas estão limpas e passadas. Você não precisa dar de comer ou dar banho na sua filha porque, quando chega, eu já tratei disso. O que mais eu posso fazer por você?", ela perguntou. "Mas quando eu lhe peço, já faz uma semana, para trocar a lâmpada no quarto de dormir, que queimou, você responde que não tem lâmpada em casa. Então, porra, compre e troque logo essa lâmpada fodida que já queimou há uma semana."

"Você já está histérica de novo", ele disse, mas de nada adiantou.

"E se eu lhe digo, ainda antes de começar o verão, que precisa consertar o telhado antes de o calor chegar, você espera quase dois meses, já no fim da estação, depois que Ana e eu já havíamos derretido debaixo do telhado ardente, para, enfim, fazer o grande favor de consertar. E então ocupa dois sábados seguidos. Bem no sábado, que é o dia em que você pode me deixar arejar um pouco."

"Você está vendo? É disso que estou falando. O tempo todo você só reclama de mim. Se eu não faço, então é porque eu não faço. E quando eu faço, então, diz que levo muito tempo para fazer. É impossível escapar de você. Trata-se de um telhado grande. Não é possível terminar em um só dia."

"Realmente", ela resmungou. "Como os nossos vizinhos terminaram o lado deles em três horas?"

"Eles simplesmente derramaram tinta e espalharam com a vassoura", ele respondeu.

"E você, pintou com pincel? O principal é que você me usurpou um verão inteiro e dois sábados. E esse tempo é irrecuperável."

"Lamento muito se não consigo atender às suas expectativas. Você devia ter se casado com um homem como seu cunhado. Você acha que eu não percebo que fica o tempo todo me comparando com ele? Que culpa tenho eu se ele é israelense e conhece a mentalidade! Eu, ainda por cima, preciso levar para casa uns trabalhos idiotas para fechar o mês", ele se calou de repente.

"Para trocar uma lâmpada não precisa ser israelense. Para mudar de apartamento para o centro também não precisa ser israelense. Precisa só querer, e você simplesmente não quer. Meu Deus, essas brigas estão me lembrando as brigas de meus pais. E por falar em pais, os seus pais não podem nos ajudar um pouco?", ela perguntou.

"Não quero pedir mais nada para eles. Já basta terem comprado esse apartamento para nós", ele respondeu, irritado.

"Estou me referindo a uma ajuda com a menina."

"O que você quer dos meus pais? Eles não moram aqui em Israel", ele respondeu e ela ficou pensando consigo mesma que, se seu pai estivesse vivo e sua mãe não estivesse doente, eles teriam se oferecido para ajudá-la com Ana.

Quando chegaram à praia, ele entrou irritado na água onde estava uma bandeira preta. Ela ficou com Ana na areia, esperando a irmã chegar. Ficou o observando de longe, enquanto ele nadava nas águas do mar Mediterrâneo, espantada com o que estava lhes acontecendo. Mas quando a irmã chegou com a família, eles começaram a construir castelos de areia com as meninas.

Após algum tempo, o homem saiu da água como um cego, dizendo que uma onda enorme havia levado seus óculos de grau. Ela não quis perguntar como uma pessoa responsável entrava na água do mar agitado com óculos de grau, mas só perguntou se ele havia procurado os óculos.

"É óbvio que procurei", ele respondeu irritado pela conversa no carro, mas também pelo fato de ter perdido os óculos. "Você não percebeu que fiquei na água uma hora inteira?"

"Não, lamento não ter percebido. Você não é criança para que eu fique tomando conta", ela também respondeu irritada por ele ter perdido os óculos de sol com grau, que havia comprado há pouco tempo, por um preço exorbitante para o bolso deles, na opinião dela.

"Em que lugar você estava?", ela perguntou. "Não quer ficar com Ana para que eu também tente achar os óculos?"

"Não há nenhuma possibilidade de você os encontrar. Não está vendo o tamanho das ondas?", agora ele estava irritado porque ela queria procurar exatamente no mesmo lugar em que ele não os havia achado.

"O que lhe importa? De qualquer maneira quero entrar na água", insistiu ela e, então, ele mostrou com o dedo o último lugar na água em que havia visto seus óculos de grau.

Ela entrou na água e nadou debaixo d'água junto à areia no fundo quando uma enorme onda com espuma branca a ameaçou.

Quando a onda passou, ela voltou a nadar debaixo d'água com os olhos abertos e viu um objeto brilhante na água. Pegou o objeto e subiu à superfície para tomar ar. Todo o tempo ela ficava pensando como Ana havia conseguido viver um ano inteiro sem ar. Sua barriga se encolhia, só de pensar. Quando abriu a mão, viu que era uma grossa aliança de casamento. Ela segurou a aliança com uma das mãos, e com a outra continuou a apalpar na água, desta vez sem mergulhar. Pouco tempo depois, pegou alguma coisa. Ela esperava não ter pegado uma medusa por engano, e quando abriu a palma da mão viu que eram os óculos do marido. Saiu da água e mostrou a ele a aliança, perguntando se por acaso havia perdido a sua.

"Eu avisei que era perda de tempo", ele disse, feliz por ela não ter conseguido.

"Então, será que você por acaso perdeu os óculos?", ela disse satisfeita, abrindo a outra mão com os óculos dele.

Ela foi até o salva-vidas e lhe entregou a aliança perdida, e depois ficou pensando consigo mesma que talvez a mulher ou o homem que perdera a aliança fosse mais um casal frustrado e que, na verdade, nem perdera o anel, mas o lançara ao mar intencionalmente. Quando voltou para se sentar na sombra com a família, a irmã lhe contou que o marido havia comentado que onde quer que a jogassem, ainda que fosse num mar agitado, ela sempre se viraria.

"Então é bom, não é?", ela perguntou à irmã.

"Acho que ele ficou nervoso por você ter achado os óculos", a irmã respondeu.

À noite Ana teve quarenta graus de febre. Eles voaram até o hospital temendo que Ana tivesse se desidratado com o sol. Na sala da emergência os médicos ligaram Ana imediatamente na transfusão, e disseram que temiam que fosse meningite e que teriam de fazer um exame para identificar se a doença era virótica ou, Deus não o permita, bacteriana.

"E qual será o tratamento?", ela perguntou.

"Geralmente, quando é vírus, não se dá antibiótico na veia, mas no caso de Ana vamos dar o antibiótico por causa do seu frágil sistema imunológico."

"Mas se de qualquer modo vocês vão dar a medicação, então para que fazer o exame da medula?", ela insistiu em perguntar, e o médico do plantão daquele sábado à noite na emergência explicou, impaciente, que eles precisavam saber de qualquer maneira.

"E por que de qualquer maneira?", ela ainda insistiu. "Isso vai alterar o tratamento?"

"Não", o médico de plantão respondeu, exaltado.

"Nesse caso, não vou assinar a permissão para o exame", ela disse.

"Esse é um procedimento rotineiro que fazemos na emergência quando há suspeita de meningite", o médico tentou explicar.

"Então, tire-nos do quadro do procedimento rotineiro de vocês. Eu não assino", ela rugiu para o médico, consciente de que estava descarregando nele seu nervosismo por causa da briga com o marido pela manhã.

"Acho que é preciso saber", o marido opinou.

"Não é preciso coisa nenhuma", ela berrou com ele, e toda a equipe de plantão de sábado à noite se aproximou para saber qual era a origem dos gritos. Ela estava com os nervos completamente abalados, pegou Ana nos braços como se fosse uma refém e gritou para que ninguém se aproximasse dela.

O homem tentou se aproximar, mas ela berrou que ele seria o último a quem ela permitiria que se aproximasse. Ele manteve uma certa distância, resmungando com hostilidade para que ela se acalmasse.

"Não quero me acalmar", ela berrou. "Quero que você se comunique com a chefe do setor de hematologia onde Ana se trata", disse ao médico de plantão num instante de lucidez.

"Ela não se encontra hoje no hospital e não vou incomodá-la às onze da noite."

"Então eu vou incomodar", ela respondeu. "Qual o telefone dela?"

Como o médico de plantão se recusou a dar o telefone da chefe do setor, ela disse à enfermeira na recepção que, se não lhe desse o telefone, levaria a filha naquele instante para casa e eles seriam os responsáveis pelo que viesse a acontecer.

O médico acabou concordando e, então, a enfermeira deu a ela o telefone da chefe do setor de hematologia. Telefonou à professora Dra. Zaitzov às onze da noite, desculpou-se e disse que precisava ouvir a sua opinião, porque achava que não fazia sentido Ana passar por um exame tão sério e perigoso se, de qualquer maneira, iria receber antibiótico na transfusão. A doutora ouviu, perguntou como começaram os sintomas e quando a febre havia iniciado, e então disse que, na sua opinião, ela tinha razão e que não havia motivo para sacrificar mais uma vez a criança com um exame tão pesado. "Passe-me o médico de plantão", a doutora pediu. Ela passou o fone ao médico, que assentiu com a cabeça durante toda a conversa, anotando a medicação que a doutora lhe ditava ao telefone. Quando desligou o telefone, disse à enfermeira que a partir daquele momento, sempre que chegasse uma criança do setor de oncologia-hematologia na emergência, seria preciso combinar o tratamento com o médico do setor. "Essas são as novas instruções", ele explicou.

O exame foi anulado, e ela foi para um canto desmoronar mais tranqüila.

Depois, durante toda a semana, até Ana ter alta no final do tratamento com antibiótico, ela permaneceu dia e noite junto à cama da filha e não trocou nenhuma palavra com o marido. Quando ele falava com ela, não respondia, e recusava que ele fizesse revezamento à noite no hospital. Queria puni-lo.

Quando voltaram para casa, ela lhe disse que, caso não começassem a procurar apartamento, iria se mudar com Ana para a casa da irmã. Ele aceitou, então, que ela começasse a procurar apartamento.

"É uma pena que isso tenha me custado saúde durante dois anos", ela disse, dando-lhe as costas quando foram dormir.

Mudando de apartamento

Essa me substitui. Essa está em meu lugar. Essa me liberará. Essa galinha irá para o abate, e eu entrarei numa vida longa, próspera e feliz.

Minha irmã e eu seguramos a galinha expiatória juntas sobre as nossas cabeças e começamos a rodá-la em movimentos circulares, enquanto mamãe nos observava com olhos bem abertos, para que não errássemos nenhuma palavra da reza.

"Essa galinha vai logo, logo cagar na minha cabeça", gritei com minha mãe.

"Tomara que sim", ela respondeu. "É sinal de sorte."

"Mas não quero que ninguém cague na minha cabeça. Nem essa sua galinha idiota", fiquei irritadíssima.

Em *Yom Kippur* papai e mamãe sempre jejuavam. Não falhavam nem uma vez. Mesmo no mais quente siroco não bebiam nem uma gota de água, e é óbvio que não escovavam os dentes.

Papai ia a uma sinagoga sefaradita e mamãe, a uma asquenazita.

Desta vez papai disse que iria rezar com muito mais devoção no coração, porque iríamos começar uma nova página em nossa vida. Finalmente papai havia conseguido obter estabilidade na empresa Autocars como vigia, e então decidiu que sairíamos de Wadi Salib. Estava muito decepcionado com o Partido e com a postura que haviam adotado para reprimir os tumultos de rua, e quis também mudar as filhas de ambiente. Pois como diz o ditado: "Casa nova, vida nova." Naquele ano também trocamos de escola, mas isso foi por acaso. As autoridades, as mesmas que não souberam tratar dos tumultos de forma adequada, decidiram transferir a turma de minha irmã de Maalot Haneviim para a escola Amami 1. Como minha turma não foi transferida, mamãe se dirigiu às autoridades e explicou que era impossível separar as duas filhas, pois ficávamos juntas o tempo todo, uma colada na outra. As autoridades recusaram, e mamãe, então, teve um ataque e disse que, se é assim, a grande também não iria mudar de escola. Iam as duas juntas, ou nenhuma. E, enfim, que nos colocassem na mesma turma. Só quando explicaram a mamãe que eu não era nenhum gênio para permitirem que eu pulasse uma série, mamãe desistiu da idéia de uma turma comum para as duas, mas não, de uma mesma escola para as duas. A escola acabou concordando com as exigências de mamãe só por causa da minha irmã, a aluna brilhante, cujo boletim era todo "muito bom" ou "excelente".

Então, depois de *Yom Kippur* mudamos de apartamento. De um quarto em Stanton, passamos a um apartamento com sala e dois quartos, janelas em três direções e direito de posse prolongado por usucapião. Qualidade de vida para as filhas.

Papai pegou a hipoteca, mamãe pegou o rumi, e nos mudamos para a rua Dekalim, na parte baixa de Haifa.

Mamãe abriu as janelas de lado a lado, nas três direções, e o fedor que se instalou na casa no mesmo instante foi insuportável.

A rua Dekalim, que significa palmeiras, apesar do belo nome, beirava a lixeira do mercado turco que ficava no pátio interno do nosso prédio, de três andares. Quer dizer, papai e mamãe haviam comprado um apartamento no buraco mais fedido da parte baixa de Haifa. Desculpando-se, nos disseram que esse era o único apartamento que podiam adquirir e, ainda assim, com direito de posse por usucapião, por causa do preço barato.

"É bem verdade", mamãe se lembrou, "que todas as janelas estavam sempre fechadas quando vínhamos examinar o apartamento detalhadamente, antes de decidirmos pela qualidade de vida das meninas".

Essa era a rua mais suja e fedorenta de Haifa e, além disso, não podíamos mais descer para brincar. Não havia onde brincar.

A única coisa boa na rua Dekalim era, de novo, a nossa varanda.

A varanda dava de frente para a rua principal da cidade baixa, a rua Iafo. Era a rua onde tudo acontecia. Exatamente em frente à varanda estava o centro de toda a ação. Ali ficava o bar, ou melhor, a taberna. Para lá iam todos os vagabundos de Haifa, os marinheiros e até as prostitutas, onde ficavam o dia inteiro jogando gamão, bebendo *arak* e se espancando uns aos outros. Duas vezes por semana quebravam lá as cadeiras e as mesas, até inventarem as cadeiras de plástico.

Na calçada do bar, ficava todos os dias, até altas horas da noite ou até que acabasse a mercadoria, o vendedor búlgaro de *burekas* que, com uma habilidade surpreendente, cortava as *burekas* em dois ou em quatro, descascava o ovo cozido de cor marrom, acrescentava sal e pimenta preta, e servia em um papelão para o feliz comprador.

Junto ao bar havia lojas baratas de produtos de limpeza e utilitários para a casa, artigos de comércio atacadista, barracas com jeans e roupas do exterior contrabandeadas pelos marinheiros, sem pagamento de impostos, que eram vendidas a preço baixo até a próxima incursão da polícia, além da loja de *delicatessen*, com salames não *kasher*, queijo búlgaro legítimo e todo tipo de iguarias vindas do exterior, que eram vendidas bem baratinho na rua Iafo, em frente à nossa varanda. Pessoas de todos os cantos de Haifa vinham fazer compras na cidade baixa, vinham do Carmel e de Hadar, de Achuza e de Keraiot.

Minha irmã e eu ficávamos horas sentadas perto da pequena mesa da varanda, que era usada como mesa de reserva quando vinham visitas, e de lá observávamos as pessoas estranhas, tentando imaginar como era a vida delas.

Depois das aulas ficávamos em casa, líamos livros, e minha irmã continuava a me educar para a vida: Coma com a boca fechada. Ande reta para não ficar corcunda. Coloque um livro sobre a cabeça e estique o pescoço para cima como se alguém estivesse puxando a sua cabeça. Fale o R de forma que não percebam que você é romena. Engula o R.

Não amaldiçoe.

Não seja atrevida.

Não escarre.

E não chute.

Sorria com bons modos, com um tipo de sorriso cheio de mistério.

Não olhe direto nos olhos, mesmo que você morra de vontade de fazê-lo; baixe o olhar modestamente. Pare de olhar o mundo com essa expressão de protesto.

Fale pouco e aprenda a ouvir, porque a maioria das pessoas tem mais a dizer do que você, até que você cresça.

Esses eram os dez mandamentos de minha irmã.

Mas o mais importante de tudo, mais do que qualquer outra coisa, era ser sempre especial. Diferente dos outros. Ninguém na classe sabe nada a meu respeito. Ninguém sabe onde eu moro e ninguém sabe com o que meus pais trabalham.

Sou um enigma para eles.

"Com certeza, você tem vergonha de dizer", eu disse à minha irmã, e ela respondeu que era uma opção dela não contar nada.

Nos anos sessenta, quando todos queriam ser como todos e queriam ser parecidos e não diferentes ou exceções para que houvesse uma sociedade israelense homogênea, Sefi optou por ser diferente, pois havia percebido que ser diferente significava ser especial.

Sefi estudou o ensino médio no Hareali, um colégio prestigiado e esnobe. Quando era a sua vez de ir à quitanda, vestia-se bem, pois se por acaso encontrasse alguém da escola, iria parecer que ela estava só passando por ali.

Minha irmã não descia como eu, com calça de ginástica, camiseta e tamancos, mas se esmerava no vestuário como se fosse sair. Também havia feito com que as amigas de infância Tova e Malka prometessem que não contariam a ninguém na classe onde ela morava. Toda a turma, incluindo os professores, sabiam que Sefi morava na rua Dekalim, mas todos achavam que a rua Dekalim era uma bela avenida rodeada de palmeiras, no Carmel.

E minha irmã jamais corrigiu o engano.

Quando me perguntavam como se ia até a minha casa, eu dizia: "Pelo cheiro. Não tem como errar." E novamente minha irmã dizia que eu, como era bonita, podia me permitir a dizer o que quisesse.

"E daí? Você também é bonita", eu dizia à minha irmã mais velha, que se achava só inteligente.

Minha mãe sabia exatamente como aproveitar minhas qualidades naturais e, quando ia ao mercado, me obrigava a ir com ela. Mamãe argumentava que o verdureiro, quando via uma menina tão bonita, se confundia todo e lhe dava a melhor mercadoria, e ainda por cima com desconto; que o açougueiro lhe dava comida de graça para a nossa cachorrinha e, se não fosse pelo meu sorriso atrevido, a despacharia com as mãos vazias. Minha mãe não obrigava Sefi a acompanhá-la ao mercado, porque não achava que o sorriso dela fosse atrevido. Além disso, com certeza Sefi recusaria, porque ficava o tempo todo fazendo o dever de casa para ser a primeira da turma também no prestigiado colégio Hareali.

O melhor presente que me ofereceram em Wadi Salib foi saber como me virar na vida.

A Sefi, ofereceram a inspiração.

Moramos durante seis anos na rua mais baixa e mais suja de Haifa.

Quando Sefi se fartou da rua Dekalim que ficava no mercado turco e que chegava até o porto, disse a meu pai que se não nos mudássemos imediatamente de apartamento, eu me tornaria uma menina da rua, apesar de estar estudando no colégio Leo Baeck, pois uma moça da minha idade precisava de um grupo de amigos e o único grupo que havia nas redondezas era a gangue da cidade baixa. "E ela já tem uma tendência natural", minha irmã acrescentou.

Papai ficou tenso, convenceu mamãe a pegar uma hipoteca maior ainda, antes que eu virasse menina de gangue, e nos mudamos para a rua Hapoel, que ficava em Hadar Hacarmel, em frente ao cinema Tamar, com aquele encarregado nazista que foi mau com papai e não o deixou entrar no filme *Oklahoma*.

Foi então que Sefi e eu sentimos felicidade, e já não nos envergonhávamos do nosso bairro e da nossa origem romena. Em contrapartida, também não tínhamos nada com o que nos vangloriar.

Eles publicaram no jornal um anúncio para a venda do apartamento e ela começou a circular por Ramat-Aviv e pelas corretoras de imóveis. Para se mudarem de um apartamento de cobertura em Rishon Letzion para um apartamento em Ramat-Aviv com uma sala e três quartos, sem varanda, precisaram acrescentar vinte mil dólares. Ela havia dito ao marido que um sala-e-dois-quartos seria suficiente para a família, mas ele argumentou que precisava de um escritório para os trabalhos particulares que fazia em casa. Para a surpresa dela, os pais dele concordaram em pagar o valor exigido e a sogra lhe disse ao telefone que eles não entendiam como puderam viver até agora desconectados da civilização. Finalmente, após uma espera de dois anos e meio, eles haviam conseguido uma linha telefônica, de forma que puderam atender aos interessados no apartamento. Ela havia visto uma variedade de apartamentos que estavam fora do orçamento, até que entrou num apartamento com sala e três quartos em péssimo estado, cujo valor, depois de negociar, lhes deixou com um saldo de cinco mil dólares para reformas e mais três mil dólares para impostos.

O marido havia concordado com ela que o apartamento tinha um bom potencial, com uma paisagem ampla, em todas as direções, mas ponderou que as reformas custariam muito mais do que ela havia imaginado.

Ela acabou o convencendo de que fariam somente as reformas estritamente necessárias, e eles compraram o apartamento ao mesmo tempo que venderam a cobertura para uma família argentina muito simpática. Toda essa história não durou mais do que três meses.

Quando ela foi se informar quanto deveriam pagar de impostos, o funcionário lhe disse que estavam isentos do pagamento do imposto sobre um dos apartamentos, pois o marido era imigrante. Ele calculou a taxa pelo apartamento novo e lhe apresentou um valor de três mil dólares.

"E qual o valor do imposto que devemos pagar pelo apartamento de Rishon Letzion?", ela perguntou ao funcionário.

"Vocês não precisam pagar", o gentil funcionário esclareceu mais uma vez com muita paciência. "Vocês têm direito a isenção por um apartamento."

"Apesar disso, qual o valor do imposto pelo apartamento de Rishon Letzion?", ela voltou a perguntar.

O funcionário calculou o valor do apartamento comprado três anos antes, contabilizou, somou, acrescentou os juros, multiplicou por um terço e chegou ao valor de mil dólares.

"Esse é o valor final?", ela perguntou.

"Mil dólares", ele disse. "Esse é o valor, mas repito que vocês estão isentos de imposto por um apartamento."

"Muito bem", exclamou ela, "então vou lhe pagar agora mil dólares pelo apartamento de Rishon Letzion e quero que a isenção à qual temos direito seja pelo apartamento novo".

"É um direito seu", respondeu o gentil funcionário, e ela voltou para casa feliz da vida por ter ganhado, em um instante, a cozinha nova da casa.

Depois disso, telefonou para Kushi, que era empreiteiro de obras em Jerusalém, e pediu um orçamento para derrubar as paredes do apartamento, a da cozinha para a sala, a da sala para o quarto contíguo e também a do banheiro para a pequeníssima varanda.

"Em Barcelona você brigava comigo porque a sala era grande demais, e aqui você quer aumentar a sala?", o marido disse, pois era contra derrubar as paredes.

"É verdade", ela disse, "não sou nada coerente. O que fazer? Sou apenas uma mulher".

"E quanto Kushi quer pela reforma?", ele perguntou.

"Ele disse para não nos preocuparmos", ela respondeu ao marido.

"Fico muito preocupado quando me dizem para não me preocupar", o marido respondeu, e ela concordou com ele, mas ponderou que, em se tratando de Kushi, não havia motivo para preocupação.

Kushi veio de Jerusalém com três operários que trabalharam no apartamento durante um mês, e ela ficava rondando a obra o dia inteiro, livre e satisfeita porque pela primeira vez poderia levar Ana à creche quase todos os dias, exceto nos dias de hospital.

O marido começou a trabalhar num famoso escritório de arquitetura, e assim, para a alegria dela, acabou deixando todas as decisões da reforma sob a sua exclusiva responsabilidade. A irmã dela também circulava pela obra e fazia sugestões arquitetônicas que eram imediatamente aceitas, mas não contava ao marido que eram idéias da irmã.

Kushi levava erva ao apartamento e, entre uma fumada e uma derrubada de parede, olhavam o resultado e rolavam de rir. Ela começava a sentir que a sua vida estava retornando e até concordou em sair para passear duas vezes na camionete de Kushi em alta velocidade pela praia, enquanto o vento lhe secava as lágrimas. Ela gostava de ficar com Kushi nessa relação platônica, pois, com ele, estava resgatando as sensações que tinha quando era jovem.

"Como é possível perder-se a si mesmo, só em saber que estamos casados?", ela perguntou a Kushi enquanto olhavam as ondas num dia chuvoso de inverno.

"Eu não me perdi a mim mesmo", ele disse. "Faço somente o que quero fazer."

"Tudo bem, você pode se permitir", ela respondeu, pensando que era assim por ele ser homem, porque ganhava bem como empreiteiro e, principalmente, porque tinha, graças a Deus, duas meninas saudáveis que a esposa criava com muito amor.

Ela disse a Kushi que havia se esquecido completamente de como ela era antes. "Agora, tudo o que eu faço fico pensando se meu marido vai gostar ou não, e não estou gostando de ser assim. Até mesmo em relação a trabalho fico sem saber o que, realmente, eu quero. Não quero voltar a esse trabalho maçante de desenhista que de maneira nenhuma combina comigo e não sei o que fazer comigo mesma."

Kushi, que sempre lhe esclarecia coisas que ela não sabia a respeito dela mesma, disse-lhe que, na verdade, ela havia estudado arquitetura na escola de engenharia só porque a irmã havia estudado arquitetura no Technion. "Nunca entendi por que você sempre achou que é menos bem-sucedida do que ela", ele disse, acrescentando que essa profissão combinava com a irmã dela, mas não com ela.

Quando terminaram o trabalho após um mês, ela gostou muito do que viu. O pequeno apartamento havia adquirido o aspecto de um espaço mais amplo e único. Agora havia lá só mais dois quartos – o quarto deles e o de Ana. O banheiro parecia de uma rainha, depois que lhe foi incorporada a pequena varanda e que as paredes foram revestidas de mármore de Chalila, o que lhe dava uma aparência própria do estilo mediterrâneo com traços limpos e simples.

"Quanto lhe devo?", ela perguntou a Kushi, e ele disse que este era um presente para Ana.

Como ela insistiu muito em pagar, ele concordou em receber apenas a remuneração dos operários e a quantia gasta com o material, que era justamente o valor que correspondia ao que haviam planejado desde o início, mas agora tinham um apartamento amplo e com uma apresentação de muito bom gosto.

Quando ela contou ao marido a respeito do presente de Kushi, ele comentou que era muito estranho ela receber um presente desse porte de um amigo. Ela respondeu que, em se tratando de Kushi, nada era de se estranhar. Então lhe contou que quando tinha dezoito anos, Kushi quis lhe dar de presente a sua criança, para que não precisasse fazer aborto.

"O que você quer dizer com 'a sua criança'?", o marido perguntou, desconfiado.

"Eu já havia contado a você que engravidei do meu primeiro namorado, Israel, e Kushi, que na época freqüentava o curso de oficiais pára-quedistas, propôs que eu me casasse com ele para ter o bebê, e que, depois, poderia me divorciar dele quando eu quisesse. Ele achava que eu queria o bebê e então me ofereceu um suporte financeiro para que eu pudesse criá-lo. E se você quer saber, este, sim, foi um presente muito mais especial", ela disse ao marido.

"E por que você não aceitou?", o marido perguntou.

"Porque Kushi estava enganado. Eu não queria o filho de Israel. Você foi o primeiro homem com quem eu quis ter um filho."

O marido a abraçou e a carregou nos braços ao entrarem no seu novo quarto de dormir. Depois lhe sussurrou ao ouvido que a reforma havia ficado muito bonita. Disse-lhe em espanhol, para não cometer erros em hebraico.

Ela gostava do apartamento, apesar de não ter uma varanda. Principalmente porque nas redondezas havia lindos parques onde ela podia ir com Ana à tarde e porque agora sua irmã e sua mãe moravam perto. Sentia que talvez naquele momento, depois de dois anos e meio, a vida voltaria a lhe sorrir.

Ela participou de uma seleção de trabalho no Banco Beinleumi e foi contratada. Ansiava trabalhar com pessoas e com a vantagem de ficar à tarde com Ana, pois somente duas vezes por semana trabalhava também à tarde. Ela pediu ao marido que ficasse com Ana duas vezes na semana, mas quando ele disse que não podia sair às três e meia do novo trabalho, onde havia começado apenas recentemente, ela contratou uma jovem estudante que logo se apaixonou por Ana, e assim ficava tranqüila quando trabalhava à tarde. O diretor do banco sabia da situação de Ana e não criava obstáculos quando ela precisava ir com a filha aos exames e tratamentos no hospital.

Ela progrediu rapidamente no banco e após um ano já estava no departamento de valores. Ficou achando que talvez Kushi tivesse razão e que ela, pelo visto, também era bem-sucedida, e não só a irmã.

Tinha clientes fixos no banco, que queriam ser atendidos apenas por ela; além disso, alguns clientes a cortejavam com insistência. Ela rechaçava a todos, mas reconhecia que estava voltando a se sentir mulher. Sentia-se muito valorizada por ser solicitada como profissional e como mulher, mas não podia compartilhar com o marido, porque ele não havia progredido de acordo com as expectativas que criara ao chegar ao país. Ela tentou lhe dizer com delicadeza que talvez devesse trocar de profissão como ela havia feito, mas ele argumentou com severidade que havia estudado durante cinco anos a profissão de que gostava e não tinha a menor intenção de renunciar a ela. Uma profissão não é como um apartamento que se troca por outro, ele disse, e ela perguntou por que não.

Uma noite ela perguntou ao marido se estava arrependido por terem imigrado a Israel, pois, em Barcelona, amigos que haviam estudado com ele estavam progredindo num ritmo muito mais rápido. Ele respondeu que gostava de viver em Israel e que, profissionalmente, a vez dele também chegaria. Ela sabia também que ele estava constrangido pelo fato de sua irmã estar começando a ter sucesso como arquiteta. No dia em que sua cunhada foi encarregada de projetar o prédio de escritórios da Kodak após uma apresentação muito impressionante, ela viu seu marido se encolher diante da irmã, apesar de seu metro e noventa de altura. Na vida do casal, as rachaduras começaram a se alargar, como num apartamento após uma reforma malfeita.

Ela gostava quando os sogros vinham ao país anualmente para visitar, porque o marido, nessas ocasiões, ficava muito mais relaxado. Ela os recebia de maneira exemplar, e com alguma freqüência convidava também a irmã dele e família para que ficassem todos juntos.

Em uma das visitas dos pais dele, quando a sogra lhe perguntou se não estava pensando em uma outra gravidez, ela a observou perplexa e respondeu que Ana precisava de todo o tempo que a mãe pudesse lhe dedicar. A sogra tentou dizer com delicadeza que, na sua opinião, ela deveria se abrir para outras coisas também.

Somente a mãe dela a olhava com piedade. Observava Ana, dava um suspiro e dizia com o olhar "Estou com você, minha filha."

"Foi assim que você me criou", ela respondia à mãe com o olhar.

Ela se levantava cedo pela manhã e fazia o almoço, porque queria que Ana comesse todos os dias comida fresca. Lavava roupa, pendurava no varal, acordava Ana, vestia a criança, dava de comer, preparava um sanduíche, levava Ana ao jardim-de-infância e corria para o trabalho. Ao mesmo tempo, o marido acordava sem nenhuma vontade de ir trabalhar e ficava no lindo banheiro do apartamento por meia hora. Em algumas manhãs, quando queria que o marido acordasse mais cedo para preparar Ana para o jardim-de-infância, era tão difícil acordá-lo, que ela chegava ao banco irritada e nervosa. À noite o recriminava por estar sempre enfiado no seu canto, cuidando das suas coisas, sem dar a mínima ao trabalho da casa, pois numa casa há sempre consertos para fazer, e havia também uma menininha a quem deveria ler histórias à noite antes de adormecer, para estimular seu desenvolvimento.

"Não leio hebraico bem", ele dizia, sabendo que ela, na verdade, se referia ao fato de o cunhado ler para as filhas, todas as noites, um livro inteiro, um livro por filha, apesar de a menor ter apenas seis meses de idade.

"Então lave a louça para que eu leia histórias", ela pedia, mas quando percebia que a pilha de louça ainda estava na pia às onze da noite, enquanto ele ficava no seu canto com seus trabalhos, ela mesma lavava, nervosíssima, fazendo muito barulho intencionalmente, só para incomodá-lo. Ele se aproximava irritado, perguntando se era da conta dela que ele lavasse a louça à uma da manhã, e ela respondia que, nesse caso, seria impossível acordá-lo no dia seguinte.

"O que você quer de mim? Simplesmente peça o que você quer", ele disse, por fim, sentindo-se impotente.

"Não preciso lhe pedir nada. Você deve perceber sozinho o que há para fazer", ela disse.

"O que estou lhe pedindo? Somente que me diga o que quer que eu faça para lhe ajudar", ele repetiu.

"Esse é o problema, você fala em ajudar, mas o que eu quero é dividir as tarefas, e não, que você fique esperando minhas ordens. Isso me humilha", ela disse, e ele perguntou o que a estava humilhando.

Ana começou a chorar e ela ficou com medo que a criança achasse que era um fardo para eles.

Ela odiava especialmente pedir que ele fosse no lugar dela levar Ana ao hospital, pois, afinal, não podia ficar faltando tanto ao trabalho, porque há um limite para a tolerância do chefe em relação a isso. Ele dizia que precisava comunicar pelo menos com uma semana de antecedência e que também não era nada agradável para ele faltar ao trabalho. Para ela, o mais desagradável era que Ana crescesse com os pais discutindo o tempo todo sobre quem precisa fazer o quê.

Pelo menos em sua casa, quando era criança, as discussões eram sobre o desperdício do pai, que faria com que não sobrasse dote para as meninas. Ela, de fato, havia se casado com o marido por amor, então, por que diabos se sentia como um sargento dando-lhe ordens o tempo todo? Por que ele não podia perceber sozinho o que deveria fazer?

“Talvez devêssemos nos divorciar”, ela disse.

“Por quê?”, ele perguntou, desconcertado.

“Porque alguma coisa não vai bem entre nós”, respondeu ela.

“É o desgaste”, ele disse. “Dizem que todo casal passa por uma crise depois de sete anos de casados.”

“Minha irmã não passou”, ela disse baixinho, “e conosco só vai se agravando com o tempo”.

“Não sei por que você está sempre reclamando. Muitas pessoas me dizem no escritório que sou um marido exemplar”, ele a surpreendeu com esta afirmação.

“Como eles sabem o tipo de marido que você é?”, ela perguntou.

“Trabalho com eles o dia inteiro, ou não? Eles percebem que fico telefonando para o seu trabalho o tempo todo para perguntar como está e à tarde, enquanto você está no trabalho, telefono para a babá e fico falando com ela um bom tempo para me certificar de que Ana está bem. Levo flores para você toda sexta-feira. Quantos maridos você conhece que levam flores para as esposas depois de sete anos de casados? Jamais me esqueço do seu aniversário nem da data do nosso casamento.”

“Realmente, muito obrigada”, ela respondeu.

“Você está vendo? É impossível falar com você, porque vem logo calando a minha boca com o seu cinismo.”

Ela olhou para ele e sentiu vontade de lhe dar um bom tapa, mas isso não era nada justo, pois, na verdade, ele sempre se lembrava do aniversário dela, enquanto ela nunca se lembrava do dele. Ele se lembrava até dos aniversários da irmã, do cunhado e das sobrinhas dela, enquanto ela era terrível para essas coisas.

“Já não sei o que fazer”, ela desabafou com a irmã. “Está tão difícil conviver com ele. Às vezes fico pensando que talvez isso esteja acontecendo por causa da nossa diferença de mentalidade, por causa da diferença de educação que cada um recebeu.”

Sua irmã, porém, não achava que fosse este o motivo.

"Então, qual é o motivo?", ela perguntou à irmã, e esta respondeu que achava que ele, simplesmente, não acompanhava o ritmo dela.

"Você resolve problemas com muita rapidez e tem iniciativa, ele, por sua vez, é lento e complicado, e isso acaba com você. Lembra-se do nosso vizinho Albert, lá na cidade baixa, na rua Dekalim, como ele incomodava você o tempo todo?"

"É óbvio que sim. Por que você se lembrou disso de repente?"

"Você tinha apenas doze anos, e ele ficava espreitando o tempo todo embaixo das escadas, tentando lhe tocar, e você, em vez de ir dar queixa a papai, teve a iniciativa de ir direto à mulher dele e ameaçar que, caso o marido dela não parasse de importuná-la, iria à polícia. E ele logo, logo parou."

"É óbvio", ela começou a rir. "Eu sabia que ele teria mais medo da mulher do que de papai."

"E você só tinha doze anos", a irmã repetiu. "Estou certa de que agora também encontrará um caminho para solucionar os problemas de vocês."

"São necessárias duas pessoas para dançar um tango", ela disse à irmã.

Um dia notou que seu marido ficava no banheiro mais de meia hora e saía de lá todo perfumado, assobiando uma melodia alegre.

"Percebi que a incomodo quando fico à tarde trabalhando em casa", ele disse, "então decidi começar a trabalhar um turno a mais. Voltarei tarde".

"Alguma coisa boa aconteceu?", ela perguntou, e ele lhe deu um beijo de leve da face e perguntou se precisava haver um motivo especial para estar de bom humor.

Durante duas semanas ele ficou cantarolando e ia trabalhar antes que ela terminasse de vestir Ana e lhe desse de comer. Como à noite, chegava sempre às dez horas, ela lhe perguntou se tinha uma amante.

"Ficou maluca?", ele exclamou. "Se um homem simplesmente está de bom humor é porque tem uma amante?" ele disse, e acrescentou que daquele dia em diante voltaria todos os dias por volta das dez porque havia decidido aumentar ainda mais o turno adicional.

No dia seguinte ela telefonou às sete da noite ao escritório do trabalho adicional e ele de fato atendeu o telefone. Ela logo teve sentimentos de culpa pelo marido estar trabalhando um horário extra para aumentar a receita e por suspeitar dele.

Na sexta-feira ele levou flores para casa e ela sugeriu que talvez pudessem viajar um pouco para o exterior, se dispusessem de algum dinheiro.

"Posso deixar Ana com a minha irmã", ela disse, e ele respondeu que queria justamente sugerir que fossem até Achziv, ao Club Med, porque um grupo do trabalho dele estava se organizando para as férias.

Ela concordou, mas ficou ainda suspeitando do bom humor do marido, que ia ficando melhor a cada dia. Agora ele até trombeteava no banheiro e permanecia ali por um longo tempo todas as manhãs, saindo maravilhosamente barbeado e perfumado.

Eles foram a Achziv com pessoas muito simpáticas, entre as quais Tova, que era especialmente gentil com ela. Havia gostado muito de Tova, principalmente porque também era romena. Mas Tova havia ido sozinha, sem um companheiro, e lhe contou que era divorciada, então, ela imediatamente suspeitou que essa era a amante do marido, sobretudo porque durante toda a semana o marido mal tocou nela, apesar de estarem finalmente sozinhos, depois de um período muito longo. Durante toda a semana em Achziv tiveram relações apenas duas vezes, e ela inclusive sentiu que o coração dele não estava voltado para ela. Achou que era só imaginação, até que percebeu com seu instinto que ele estava torcendo para que as férias terminassem logo.

"Você sempre reclama por eu nunca tomar a iniciativa e agora, quando estou tomando a iniciativa, você nem se interessa?", ela perguntou, mas ele evitou olhá-la nos olhos e disse que talvez o desejo tivesse passado.

Voltaram para casa depois das férias, e ela continuou suspeitando do bom humor dele.

Certa manhã ela lhe disse que não tinha dúvidas de que tinha uma amante, mas ele negou enfaticamente, e quando ela telefonou ao segundo turno às oito da noite e alguém disse que ele havia saído aproximadamente meia hora antes, ela ficou esperando, certa de que ele chegaria a qualquer momento para esclarecer o assunto da amante de uma vez por todas.

Ele, no entanto, chegou às onze e meia da noite. Quando ela perguntou em tom furioso onde estava se divertindo até aquela hora, ele percebeu que sua mulher havia telefonado para o trabalho e imediatamente disse que de fato saíra mais cedo, mas que havia encontrado um amigo do trabalho e ficaram tomando cerveja juntos até aquela hora.

"Que amigo?", ela perguntou, e ele disse que ela não conhecia, que era alguém que havia começado a trabalhar no escritório naquela mesma manhã.

No dia seguinte pela manhã, quando saiu barbeado e sorridente do banheiro, ela lhe disse que mandasse lembranças para a sua amante. Ele gritou com ela, dizendo que não tinha nenhuma amante e que já estava saturado das suspeitas dela que não tinham fim.

"Sem fim?", ela perguntou, espantada. "Minhas suspeitas começaram há apenas dois meses."

Ele saiu de casa batendo violentamente a porta. Ana olhou para ela e começou a chorar.

Levou Ana ao jardim-de-infância e decidiu que à tarde iria até o trabalho dele para verificar se realmente ele havia ido ao segundo escritório.

Ela ficou esperando no carro, perto do escritório, desde as quatro e meia, sabendo que ele saía às cinco, mas às quinze para as cinco suas pernas começaram a tremer e ela partiu de lá. Decidiu que não ficava bem perseguir o marido, pois isso a fazia sentir humilhada perante si mesma, e voltou para casa para ficar com a filha. Às dez da noite, quando ele chegou, disse-lhe que queria mesmo saber se ele tinha alguém, porque ela preferia enfrentar a verdade a viver uma mentira.

Ele respondeu que não estava mentindo e que ela estava inventando coisas. Durante o mês seguinte ela telefonou apenas uma vez ao segundo escritório, às sete da noite, e ele, de fato, atendeu o telefone, e voltava para casa às onze, como de costume. Eles quase não tinham relações sexuais e ele argumentava que estava cansado por causa da dupla jornada de trabalho.

Numa sexta-feira ela telefonou ao trabalho adicional às cinco da tarde e o chefe do escritório informou que ele havia saído à uma hora da tarde. Ele chegou em casa às sete, meia hora antes de a mãe dela chegar para jantar com eles. Ela contou que havia telefonado às cinco da tarde e que ele não estava no trabalho, e ele disse que estava numa reunião com o engenheiro, Tzvika, que queria dele um pequeno projeto num serviço particular.

Depois do jantar ela perguntou se ele poderia levar sua mãe ao asilo de idosos, onde ela vivia fazia dois meses, e o marido disse que estava cansado e que ia dormir. Quando ela voltou para casa e abriu a porta, ele estava falando ao telefone, mas desligou no instante em que a viu. Ela fingiu não ter percebido e no dia seguinte de manhã, no sábado, obrigou o marido a levar Ana ao parque de diversões, sem ela.

"Preciso ficar sozinha", ela disse, e ele não se atreveu a recusar.

Ela telefonou à amiga de Haifa, Ahuva, que era uma grande malandra. Quando Ahuva se apaixonou por um homem divorciado com três filhas e engravidou dele, ele terminou com ela e se recusou a ouvir a respeito de mais um filho, apesar de amá-la. Quando ela estava com sete meses de gravidez, telefonou para ele e mentiu, dizendo que havia feito uma ultra-sonografia e que lhe informaram que era um menino. Eles se casaram em Chipre, pois ela era divorciada e ele era Cohen, e dois meses depois nasceu-lhes a primeira filha. Dois anos depois, nasceu a segunda.

Ela contou à amiga que estava suspeitando de que o marido tinha alguém, mas ele negava enfaticamente, e isso a estava devorando por dentro. Ahuva perguntou o que ele dizia quando chegava tarde. Ela deu o exemplo da noite anterior, quando o marido argumentou que havia encontrado Tzvika depois do trabalho.

"Você conhece esse tal de Tzvika?", Ahuva perguntou.

"Até conheço", ela respondeu, "quando imigramos ao país e compramos o apartamento de Rishon Letzion, trabalhei com ele até Ana nascer", ela contou a Ahuva.

"Então, qual é o problema? Pegue o telefone e verifique com ele", a amiga aconselhou.

"Mas como? Assim, do nada, depois de quatro anos sem falar com ele, de repente vou perguntar se teve uma reunião com meu marido ontem?", ela perguntou.

"Você vai achar algum pretexto. Você quer saber, não quer?" Ahuva a animou.

"Definitivamente, sim", respondeu, e no mesmo instante já sabia o que diria a Tzvika.

Ela se lembrou que Tzvika era vidrado em Racheli, que trabalhava com ela no escritório dele, mas como era casada e um pouco religiosa, ele não se atrevia a se aproximar dela. Um pouco depois que Racheli largou o trabalho, mudou também de apartamento e, então, perderam o contato. Mas, como o mundo é pequeno, há um mês, quando estava com Ana no hospital, ela encontrou justamente a Racheli, que lhe contou que havia se separado recentemente e voltado a morar em Rishon Letzion, perto dos pais. Elas trocaram telefones e prometeram manter contato.

Ela telefonou para Tzvika no sábado, às onze da manhã. Ele ficou muito espantado ao ouvir sua voz e perguntou a que devia aquela honra.

"Quero lhe mandar lembranças de Racheli", ela disse, e ele ficou feliz e pegou o número do telefone da amiga. Ela contou sobre Racheli, ele se interessou em saber como Ana ia passando e, depois, como ela ia passando, e quando ela contou que estava trabalhando havia mais de um ano e meio num banco, no departamento de valores, ele comentou que combinava muito mais com ela trabalhar em contato com pessoas.

"E como vai seu marido?", ele perguntou.

"Está muito bem", ela respondeu. "Você não tem visto ele?"

"Sabe há quanto tempo não o vejo?", ele respondeu. "Pelo menos há três anos."

Nesse instante, o mundo caiu em cima dela.

Mentiras

Quando mamãe preparava a *ciorba* romena, convidava também as meninas sírias que moravam em cima, Tzila, Rochama e Linda, pois sabia que elas gostavam muito da *ciorba* que fazia. Além disso, não é um prato caro, contendo somente verduras. Tzila era uma menina muito bonita, mas se achava feia porque tinha marcas profundas no pescoço, por causa de um fogareiro *Primus* que foi jogado em cima dela por engano, ou que a lançaram sobre ele, quando era criancinha e chorava demais. O *Primus* aceso, além de não ter acalmado a criança chorona, ainda lhe deixou uma enorme e grossa cicatriz no pescoço. Tzila dizia que ninguém iria querer se casar com ela quando crescesse, por causa da cicatriz no pescoço, e Iosefa a tranqüilizava dizendo que isso era uma grande bobagem, e que o principal era o caráter da pessoa, e não a beleza. Perguntei à minha irmã se ela realmente achava que alguém se casaria com Tzila, e ela disse que não.

"Então, por que você mente para ela?", perguntei irritada. "Sabe que papai odeia quando mentimos."

“Não estou mentindo. Só não quero que ela fique triste”, minha irmã respondeu.

Fui até papai e delatei que Fila estava mentindo para Tzila dizendo a ela que, com toda a certeza, alguém se casaria com ela, mesmo sabendo que não era verdade, e papai me disse que existem mentiras que podem ser ditas, quando se trata de fazer o bem às pessoas.

Na mesma semana, o diretor da escola, Dror, que dava tapas dolorosos e barulhentos em todos os alunos, mesmo quando não mereciam, pegou a mim e mais dois meninos, e nos chamou ao gabinete dele para investigar se havíamos ficado de guarda na porta da sala de aula enquanto Itzik fazia xixi na gaveta da professora. Um dos meninos disse que não sabia de nada a respeito disso e logo levou duas bofetadas barulhentas. O segundo menino confessou que ele havia ficado de guarda e levou quatro bofetadas barulhentas, além de seus pais serem chamados a comparecer à escola. Quanto a mim, parei diante da típica cara vermelha de um diretor cruel, sabendo que papai ficava terrivelmente furioso quando adultos batiam em crianças pequenas, mesmo sendo diretores ou professores da escola; além disso, a professora bem que merecia que Itzik fizesse xixi na sua gaveta, porque ficava o tempo todo humilhando os alunos, dizendo-lhes: “Vocês são todos uns primitivos, comendo com as mãos.” E quando o diretor me perguntou se eu havia ficado de guarda na porta, disse a ele que na verdade eu estava brincando lá fora de pique com Bracha, Ahuva e Adina. Menti para o meu próprio bem, como papai havia explicado, e eu sabia que Bracha, Ahuva e Adina não me delatariam se ele lhes perguntasse, porque tinham mais medo de mim do que do diretor Dror.

“Você tem certeza?”, o diretor Dror me perguntou.

"Tenho certeza", respondi com voz segura e baixei os olhos, com minha irmã havia me ensinado, dizendo que os adultos não gostam quando crianças os encaram. Isso fortalece a segurança pessoal deles. "O senhor pode perguntar a elas", tomei cuidado para dizer "a elas" e não "a eles", para não levar um tapa, Deus me livre, por não saber gramática. Ele não bateu em mim. Com certeza, sua mão já estava doendo depois de ter dado seis bofetadas.

Corri para casa e contei a papai que eu havia mentido ao diretor Dror para fazer um bem para mim mesma, e ele me deu um beijo no rosto e disse: "Boa menina."

Quando Iosefa foi com Tzila no sábado à tarde até a carrocinha de *falafel* de Baruch, dividiu com a amiga meia porção de *falafel*. Um tasco para ela e um tasco para Tzila, um tasco para ela e um tasco para Tzila, e então, quando chegou em casa, mentiu para mamãe em romeno, jurando que havia comido sozinha meia porção de *falafel*, sem convidados.

Como papai havia me permitido mentir para fazer o bem às pessoas, menti também para Shmuel, o irmão de Susi, amiga de minha irmã. Minha irmã tinha muitas amigas; eu tinha a minha irmã e isso me bastava. Depois que a amiga dela foi para a América levando todas as bonecas e nos mudamos para a cidade baixa de Haifa, junto ao mercado turco, Iosefa ficou amiga de Susi e, sempre que não estava lendo, ia até a casa dela, pois lá permitiam que ela costurasse carteiras.

A mãe de Susi costurava vestidos de noiva e, como moravam num apartamento pequeno de um quarto, quatro pessoas, com uma mesa que servia como mesa de costura para a mãe de Susi e que ocupava a metade do quarto, Susi e minha irmã brincavam embaixo da mesa. Elas pegavam os restos de tecido branco e costuravam carteiras com eles. Minha irmã não me deixava ir, porque dizia que não havia mais lugar embaixo da mesa, mas, como compensação, me trazia uma carteira branca, onde eu guardava botões, pois não tinha dinheiro.

Papai e mamãe obrigavam minha irmã a me levar junto com ela para as festas de sua classe, porque eu era pequena, e os pais de Susi a obrigavam a levar Shmuel, o irmão mais velho, para as festas da classe dela, porque era retardado.

E, assim, Shmuel e eu ficávamos sentados juntos na cerca, só nós dois, nas festas que não nos diziam respeito, enquanto minha irmã e as amigas ficavam cochichando sobre que menino cada uma delas queria, e nós ficávamos conversando sobre a vida, pintando-a com todo tipo de cores.

"Jure que não vai contar para ninguém", Shmuel me dizia.

"Eu juro." Eu sempre jurava pela minha irmã, pela minha mãe e pela minha avó que havia morrido. Eu só me recusava a jurar pelo meu pai, porque não tinha certeza de que conseguiria manter o juramento.

"Sei que você não vai acreditar em mim, mas quando eu crescer quero me casar e ter dois filhos, um menino e uma menina."

"Não vou acreditar, por quê?", perguntei.

"Porque sou retardado", Shmuel respondeu.

"Você não é retardado. Só é um pouco lento", eu disse, pois foi o que papai havia me dito a respeito de Shmuel, que ele era lento. Papai também havia me contado que os pais de Susi estiveram num campo de trabalhos forçados na Romênia e que haviam fugido de lá, mas os alemães atiraram neles e feriram a perna da mãe de Susi, que estava grávida de Shmuel, e então ela caiu no meio do próprio sangue. O marido conseguiu arrastá-la de lá, e por isso Shmuel havia nascido um pouco lento. Papai me contou, ainda, e eu sempre me lembrava de suas histórias, que quando chegou a hora de Shmuel ir para a escola, as autoridades disseram aos pais dele que seria possível enviá-lo apenas a um internato religioso. Os pais dele gostavam muito de Shmuel e nem tanto de Deus, e então o enviaram a uma escola de meio turno para crianças especiais, e à tarde Susi tinha que tomar conta do irmão maior.

"Você quer se casar?", Shmuel me perguntou, e eu disse que precisava me casar, porque eu tinha um dote.

"Que dote você tem?", Shmuel perguntou, e eu disse que não sabia. Talvez umas toalhas e uns lençóis.

"Tova, a amiga da minha irmã, já tem uma geladeira de dote", eu disse.

"E o que você quer ser quando crescer?", Shmuel me perguntou.

"Quero ser como minha irmã", respondi.

"Como assim?", Shmuel perguntou.

"Inteligente como ela", respondi.

"Inteligente é uma profissão?", ele perguntou.

"São muitas profissões. É possível até escolher", respondi. "E o que você quer ser quando crescer?"

"Quero ser jardineiro", Shmuel disse, e eu comentei que ser responsável pela terra era uma profissão muito bonita.

"Rina, não fique balançando as pernas em cima da cerca!", minha irmã gritou. "Você vai cair e depois vão precisar costurar o seu traseiro!"

"Rina é um nome bíblico?", Shmuel perguntou.

"É óbvio. Na Bíblia significa alegria, mas em ladino significa rainha. Por isso meu pai me deu o nome de Rina. Porque sou a rainha dele."

"E eu sou o profeta dos meus pais", disse Shmuel, que era lento, mas sabia que seu nome era o mesmo do profeta Samuel da Bíblia.

"Tenho certeza de que você vai se casar e ter dois filhos", menti para Shmuel para lhe fazer o bem. Eu não estava certa de que ele poderia se casar, por ser lento, mas tinha certeza de que ele poderia ser jardineiro, e assim não senti que estava de fato mentindo.

Quando o marido abriu a porta com a chave, ela lhe deu duas bofetadas. Ele não sabia de onde estavam vindo.

"Isso é por causa das suas mentiras", ela disse, "odeio mentirosos", acrescentou. "Além disso, Tzvika lhe mandou lembranças. Ele me disse que já não o vê há três anos."

Ele permaneceu calado.

"Então chegou a hora de você me contar com quem anda circulando por aí todos os dias nos últimos três meses. Porém, antes de fazer isso, dê de comer à sua filha e depois coloque-a para dormir. Enquanto isso vou respirar um pouco de ar lá fora. Estou sufocada com todas as mentiras que estão pairando no ar por aqui."

Ela saiu de casa batendo a porta violentamente e voltou duas horas depois.

"Você quer café?", ele perguntou.

"Não quero nada de você, a não ser a verdade", ela disse.

"Então, muito bem, tenho uma pessoa. Uma pessoa do trabalho."

"É Tova?", ela perguntou.

"Que Tova? É alguém que começou a trabalhar conosco há meio ano."

"Como é o nome desse alguém?", ela perguntou.

"Adi", ele respondeu.

"E quanto tempo faz esse romance de vocês?"

"Três meses", ele se sentou pesadamente diante dela e suas mãos tremiam.

"Por que você está tremendo?", ela o provocou. "Quem tem que tremer sou eu", e então ela percebeu que todo o seu corpo tremia, não apenas as mãos.

"Porque não quero perder você", ele disse.

Estavam sentados um diante do outro na mesa da sala de jantar que dava para a outra sala, ele com medo dela, e ela com medo do que iria ouvir.

"Então, todas as manhãs que você saía mais cedo de casa para o trabalho...?"

"Eu ia à casa dela pegá-la para irmos ao escritório."

"E à tarde, afinal, você trabalhava no segundo escritório?", ela quis saber dos detalhes.

"É óbvio que sim", ele respondeu.

"Até que hora?".

"Geralmente, até as sete horas."

"E todos os dias, todos os dias às sete, você ia à casa dela e ficava até as dez e meia da noite?", ela perguntou.

"Sim", ele admitiu.

"Todas as noites?", insistiu em saber. "Não podia, pelo menos duas vezes por semana, ficar conosco?"

"Eu gostava dela", ele respondeu, "e queria ficar com ela".

"Então você a ama", ela exclamou. "Para você não é só uma trepada."

Ele permaneceu em silêncio.

"Você a ama?"

"Sim", ele disse, mas imediatamente acrescentou que também a amava.

"Eu fico rodando com Ana pelo hospital enquanto você vai pegar a sua amiga de manhã para que ela não precise, Deus a livre, viajar de ônibus", ela queria que ele notasse como era um filho-da-puta.

"Eu lhe deixava o carro quando você precisava ir ao hospital", ele tentou mostrar que pelo menos nisso havia tido consideração com elas. "O que você quer fazer?", ele perguntou.

"Antes de tudo, quero que você desapareça da minha frente. Não quero ver você aqui."

"Quer que eu vá embora?", ele perguntou com a voz trêmula.

"Não consigo olhar para você", ela disse, obrigando-o a se levantar e batendo a porta depois que ele saiu.

Ela tremia toda. Lembrou-se de um filme que havia visto, *Zabriskie Point*, no qual depois que a polícia foi pegá-los no oásis onde se esconderam num hotel que parecia ter saído das lendas, a moça foi vendo lentamente o suntuoso hotel se despedaçando em estilhaços. Era isso o que estava sentindo, que a vida dela estava se despedaçando.

Mesmo suspeitando que ele tinha uma amante, não lhe passava pela cabeça que isso pudesse se tratar de amor. No instante em que ele confessou que amava a sua Adi, ela ficou ofendida e sentiu que sua vida havia desmoronado.

Duas horas depois, ele telefonou e perguntou se podia voltar, e ela disse que não.

"Você quer que eu volte à noite?", ele perguntou.

"Você não quer ir para a sua Adi, que é quem você ama?"

"Quero ir para casa", ele disse.

"Você poderá voltar somente quando me disser que terminou com ela."

"Então posso ir agora?", ele perguntou.

"Por quê? Você terminou com ela?"

"Sim", ele respondeu.

"Então, venha à noite", ela disse.

Quando ele voltou à noite, ela perguntou ao marido o que queria fazer e ele disse que não sabia. Estava confuso sem saber o que era correto fazer.

"Talvez estejamos precisando fazer um intervalo", ela disse, e ele respondeu que sim, talvez.

"Amanhã vou procurar um lugar para ficar", ele disse.

Durante toda a noite eles ficaram ouvindo, um ao outro, como os dois rolavam na cama, ela com a sua humilhação, e ele com a sua confusão. Ela estava se sentindo sozinha no mundo, sem ninguém ao seu lado, e sempre que fechava os olhos via o hotel desmoronando em pedaços tão pequenos, que jamais seria possível reconstruí-lo.

Ele telefonou do trabalho ao meio-dia e disse que havia encontrado um quarto na casa de uma senhora e que iria à tarde pegar algumas coisas.

Quando cortou a conversa, ela estava tão nervosa que ligou para o trabalho dele e mandou chamar Adi. "Só um instante", a secretária respondeu.

"Alô", disse a mulher ao telefone.

"É Adi?", ela perguntou.

"Sim", Adi respondeu.

"Você é a Adi que está trepando com o meu marido?", ela perguntou.

Houve silêncio do outro lado.

"Estou perguntando para saber se estou falando com a Adi certa", ela disse. "Talvez haja no escritório de vocês mais de uma Adi", acrescentou.

"Só tem uma", Adi respondeu.

"Então deixe meu marido em paz imediatamente, sua filha-da-puta", ela disse e bateu o telefone.

À tarde, quando ele veio pegar as suas coisas, ela não falou com ele, nem tampouco respondeu quando ele perguntou se poderia visitar Ana.

No dia seguinte, quando chegou ao banco, disse a Kobi, um cliente fixo que vivia dando em cima dela, que naquele dia ela estava sem paciência para ficar no trabalho.

"Venha comigo agora", ele logo sugeriu.

"Para onde?", ela perguntou.

"Preciso pegar o avião até Eilat para inspecionar meus funcionários que estão forrando tapetes de parede a parede num andar inteiro no hotel Melech Shlomó", ele disse. "Você vem?"

"Por que não?", ela disse.

Foi até seu chefe e disse que não tinha condições de trabalhar naquele dia, pois ficou sabendo que o marido mantinha um romance paralelo.

"Ficou sabendo agora?", ele ficou curioso.

"Anteontem", ela disse e saiu, e Kobi se apressou atrás dela. Duas horas depois eles estavam num andar inteiro do hotel, e pela primeira vez em sete anos ela trepou com outro homem, um homem que sabia o que as mulheres gostavam, e se sentiu de novo mulher.

Somente quando chegou de Eilat em casa, telefonou à irmã e contou que o marido havia ido embora.

"Como ele se atreve a fazer isso comigo?", ela perguntou à irmã, que disse que talvez ele tivesse encontrado em outros lugares o que lhe faltava em casa. "O que mais me irrita é que ele mentiu para mim", ela disse à irmã. "É tão humilhante o fato de ter mentido para mim."

"É realmente isso que a está humilhando tanto?", perguntou a irmã.

"Sim, mas você está se referindo a quê?", ela quis saber.

"Não sei a que estou me referindo. Só estou dizendo que você precisa fazer um verdadeiro exame de consciência a respeito do que quer de si mesma. Da sua vida."

Ela ficou pensando sobre isso a noite inteira e chegou à conclusão de que estava mentindo para si mesma, pois sua grande humilhação era causada pelo fato de que ele deixou de amá-la. E então se perguntou se realmente gostava dele.

"Vamos fazer terapia de casal", ela sugeriu duas semanas depois, quando ele veio ficar com Ana. Ele lhe parecia muito tristonho e ela ficou um pouco abalada de vê-lo assim. Quis perguntar se ele estava comendo bem, mas obviamente não perguntou e se limitou a sugerir que fossem fazer terapia. Ele concordou imediatamente. Quando se apresentaram à psicóloga, aliás, muito recomendada, ela relatou a traição dele e contou que, enquanto ela ficava no hospital com a filha, ele estava com a amante.

"Não posso perdoá-lo por isso", ela disse à psicóloga.

A psicóloga lhes disse que geralmente os casais chegavam à terapia no último instante e por isso, na maioria dos casos, ela não podia solucionar crises que já duravam anos.

A psicóloga perguntou a ele se ainda estava se encontrando com a outra e ele disse que não.

Ela foi logo dizendo que, mesmo que não estivessem juntos, encontravam-se todos os dias no trabalho e que isso a devorava por dentro.

"Você não pode largar esse trabalho?", a psicóloga perguntou.

"De jeito nenhum. Finalmente encontrei um trabalho num lugar em que sinto progresso do ponto de vista profissional. Não quero largar esse escritório."

"Então será que você pode dizer a ela para largar?", a esposa provocou. "Ela é solteira, não é? Não precisa sustentar família. Diga a ela para largar o trabalho", disse ao marido.

"Não posso dizer isso a ela", ele falou.

"Por quê?", a psicóloga perguntou. "Não há dúvida de que o fato de vocês ainda se verem no trabalho não é bom para o sentimento da sua mulher."

"Eu compreendo", ele disse, "mas, ainda assim, não posso pedir a ela que largue o seu trabalho porque isso incomoda minha mulher".

"Então, largue você, já que não consegue dizer a ela!", a esposa gritou com ele diante da psicóloga, que lhe disse que ela não estava tentando entendê-lo e que estava obcecada em demonstrar o quanto ele estava errado.

"É preciso tentar entender o problema básico", disse, e ela respondeu que o problema básico era que ele estava apaixonado por outra mulher.

"Essa psicóloga está me dando nos nervos", ela disse para ele quando saíram. "Não volto mais aqui."

Ele se recusou a dizer para sua Adi que largasse o trabalho, e ela telefonou à cunhada, para que esta tentasse influenciar o irmão a largar o trabalho. Ela estava inflexível em relação a isso, como se o seu casamento dependesse unicamente do fato de o marido e a amante não se encontrarem no trabalho. A cunhada respondeu que ela não podia ditar ao irmão o que ele deveria fazer.

Seu sogro disse que ela, como mulher, deveria lutar pelo seu marido, e essas palavras a fulminaram como um raio. Será que ela queria mesmo lutar por ele? Pois as suas forças haviam expirado nas lutas pela sobrevivência da filha. Ela começou a imaginar como seria a sua vida sem ele e, apesar de ainda ver o hotel desmoronando em pequenos estilhaços, como no filme, pensava consigo mesma se não seria muito mais simples construir um novo hotel do que tentar restaurar as ruínas dispersas por toda a cidade.

Durante três meses ela ficou rodando como uma sonâmbula entre todos os amigos de ambos, contando-lhes a respeito da separação e esperando que eles mostrassem a seu marido como estava errado. Mas a maioria dos amigos justamente lhe dizia que sempre acharam que ele era um marido carinhoso e dedicado, que essas coisas aconteciam, que sempre havia tentações no local de trabalho e que uma trepada não era motivo para se separar, e, apesar de ela dizer que não era trepada, mas amor, eles respondiam que tinham certeza de que ele a amava. E, de fato, toda sexta-feira ele levava flores para casa.

Sentia que o mundo inteiro estava contra ela, e até quando tentou falar com a mãe para se fortalecer, esta lhe disse que ela era muito inocente se pensava que iria achar alguém melhor do que ele; além disso, com todos os problemas de Ana, ela não podia se permitir sequer pensar que algum dia encontraria um pai melhor do que ele para a filha.

"Mas ele não me ama", tentava então dizer para a mãe, que logo encerrava o assunto. Ela sabia que os três meses, que foi o tempo que estabeleceram para pensar o que queriam fazer com a parceria deles, estavam chegando ao fim e continuava buscando justificativas com todos para provar que ele era uma merda, mas todos só lhe diziam que devia perdoá-lo, que não se joga fora um marido depois de sete anos de casados por causa de um pequeno deslize.

Um dia viu Ana dançando no quarto dela, como se toda a sua alma dançasse junto, como se estivesse pairando no ar, fechada em si mesma, inventando um mundo próprio, e ficou com o coração partido em pensar que a vida não havia sorrido para Ana desde o primeiro instante do nascimento, e agora, que estava com quatro anos, o pai dela havia saído de casa, talvez para sempre ou por um tempo indeterminado, e a mãe vagava por aí como um torpedo aéreo, com ataques de fúria incontroláveis.

À tarde, elas estavam a caminho do instituto de desenvolvimento da criança, quando um carro saiu de repente de uma rua lateral sem lhe dar a preferência e quase bateu no seu carro. Ela pisou bruscamente no freio, olhou para trás e viu que Ana estava sentada em segurança na sua cadeira de criança, parou o carro no meio da rua fechando o outro carro, desceu do veículo, aproximou-se da motorista que podia ter matado a sua filha, deu-lhe duas bofetadas ruidosas e voltou para o seu carro, prosseguindo o caminho para não se atrasar.

Uma semana depois, quando o marido foi ficar com Ana, ela saiu para resolver uns assuntos e quis deixar o carro no estacionamento do centro comercial de Ramat-Aviv, quando um *yuppie* arrogante, num hebraico típico de um educador, como ela gostava, gritou com ela dizendo que quase havia fodido com o carro dele. "Quase por quê?", disse ela, e então deu ré e entrou na dianteira do carro dele. Desta vez ela realmente havia fodido com o carro dele e com o seu salário de um mês. Ela achou que não tinha importância nenhuma, pois ela e Ana poderiam comer durante aquele mês na casa da irmã que, com certeza, só ficaria muito feliz.

Mas foi depois do que aconteceu no parque infantil que ela ficou alquebrada.

Elas foram ao parque de brinquedos perto de sua casa e, quando quis sentar Ana no carrossel ao lado de um menino da mesma idade, a mãe da criança, que se parecia com o brinquedo Cabeça de Batata, correu para tirar o menino do carrossel, enquanto olhava Ana, que estava inchada dos esteróides que lhe equilibravam a hemoglobina.

"O que a sua filha tem não pode contagiar meu filho?", perguntou num tom de reclamação.

"Diga-me uma coisa: você acha que a burrice é contagiosa? E a maldade, a estupidez e a perversidade?", ela respondeu com uma pergunta.

A Cabeça de Batata ficou em silêncio.

"Responda", ela gritou, de repente.

"Não", a outra respondeu depressa.

"Pois eu justamente acho que sim", ela surpreendeu a outra, "por isso vou tirar minha filha daqui para que não se contagie com a sua maldade".

A Cabeça de Batata estava calada e perplexa, e ela, que agora já estava até sentindo prazer em tripudiar, perguntou-lhe se sabia qual é a diferença entre estupidez e genialidade.

"Não", respondeu a outra, achando que a mãe da menina havia mudado de assunto.

"É que a genialidade tem limite. Tchau e até nunca mais, mulher estúpida", ela disse e pegou a filha nos braços como se a estivesse defendendo da maldade, até que chegaram em casa.

Encheu a banheira, colocou patinhos na água para Ana brincar e começou a escovar a filha como se tivesse se sujado no parque infantil. Quando Ana perguntou por que ela estava chorando o tempo todo, respondeu que não estava chorando, que seus olhos estavam molhados da água da banheira.

Ana a olhou com olhar de compaixão e ela ficou pensando consigo mesma que, das dez medidas de compaixão que Deus havia dado ao mundo, sua filha havia tomado nove, restando apenas uma medida para milhões de pessoas que viviam sobre a Terra. Então, quem poderia afirmar que a vida era justa, se Ana havia pegado a compaixão sem deixar nada para os outros?

No dia seguinte, sexta-feira à noite, o dia em que Deus não é bondoso com os solitários, ela estava em casa sozinha, ela e a sua depressão, depois que o marido havia levado Ana para o fim de semana, para visitar a irmã dele em Jerusalém. Ela abriu a torneira da banheira e a encheu de água até o limite máximo, e entrou, mergulhando a cabeça na água. E novamente, como na semana em que Ana havia nascido, ela testou a capacidade do seu corpo em relação à ausência de ar, e quando estava emocionalmente disposta a afundar naquela água libertadora, o telefone tocou. No início, não deu atenção e tentou recuperar a concentração que toda pessoa precisa ter para morrer. Mas o telefone continuou a tocar, e a tocar com insistência, sem desistir. Quando contou o vigésimo toque, ela saiu da água, prometendo que voltaria logo, enrolou-se na toalha e pegou o fone.

"Onde você está?", a irmã dela perguntou.

"Em casa", respondeu.

"Você não está em casa", a irmã disse.

"Por que está afirmando isso?", disse, laconicamente, pensando na água morna que esperava por ela.

"Porque todas as luzes da sua casa estão apagadas", a irmã respondeu. "Às oito da noite de uma sexta-feira, você fica aí numa casa vazia e nem está vendo o programa 'Ponto de Vista'."

A irmã sabia que ela gostava de ver esse programa e que com isso obtinha toda a cobertura das notícias semanais. Quem precisava dessas notícias terríveis todos os dias? Como se a vida já não fosse difícil o bastante sem essas notícias atormentando a alma o tempo todo, com noticiário a cada meia hora.

"O que há para ver?", ela perguntou àquela irmã irritante que a estava impedindo de morrer.

"Para ser franca, nada", ela respondeu. "Então, onde você está?"

"Na banheira", ela disse, "estou tomando banho".

"Bem, então você já está tempo demais na banheira", a irmã disse.

"Como é que você sabe, está me espionando?", perguntou à irmã, de brincadeira.

"Sim", ela respondeu, e não disse mais nada.

"E está me espionando como?", ela perguntou curiosa.

"Com o binóculo de Shlomo, do tempo de Exército", a irmã respondeu.

"Fica me espionando o tempo todo com binóculo?", ela perguntou, temendo que estivessem tirando a sua privacidade. Seria possível que desde que havia mudado de apartamento, há pouco menos de dois anos, para o outro lado da avenida em linha reta para a casa da irmã, ela a estaria observando com binóculo?

"Somente desde que vocês se separaram", a irmã mais velha respondeu.

"E está me espionando por quê?", ela perguntou, furiosa.

"Fiquei preocupada com você", a irmã disse. "Fiquei muito preocupada. Tive medo que algum dia você tivesse uma crise e pulasse de repente do oitavo andar."

"Se eu quisesse pular, você não poderia ter evitado com o seu binóculo", ela disse à irmã, ainda furiosa.

"Eu telefonaria imediatamente para você e tiraria essa idéia da sua cabeça", disse a inteligente irmã, que pensava sobre cada detalhe com a mesma praticidade que havia herdado da mãe.

"Afinal, por que você está tomando banho há tanto tempo?", a irmã perguntou, preocupada.

"Talvez porque eu não esteja com a consciência limpa", ela respondeu.

"A sua consciência está limpíssima. Venha para cá", ela determinou, "vou lhe preparar o prato que você mais gosta".

"E qual é o prato que eu mais gosto?", ela perguntou, pensando ainda se não seria preferível voltar à banheira morna que, certamente, já estava fria.

"Alcachofra com manteiga", a irmã respondeu.

"Não quero com manteiga", ela disse como se as duas fossem meninas pequenas e não, jovens mães. "Faça com molho de mostarda e maionese."

"É menos gostoso", a irmã disse.

"Para mim é mais gostoso alcachofra com mostarda e maionese", ela insistiu, irritada porque a irmã sempre decidia por ela o que era mais gostoso, esquecendo completamente que sete minutos antes queria se afundar na água.

"Venha logo, sua chata", a irmã lhe disse.

Entrou na banheira, tirou a tampa e ficou pensando como em poucos minutos a água chegava ao mar. Ela não se deu mais ao trabalho de se lavar. Estava com a consciência limpa, então se vestiu e foi até a irmã para se envolver com os seus cuidados.

No domingo foi ao hospital com Ana para um exame de audição, sendo informada de que Ana havia perdido completamente a audição em um ouvido e precisava de aparelho no outro ouvido.

Ela desmoronou. Durante todo o caminho de volta para casa ela chorou como louca e, quando a babá de Ana chegou, telefonou ao escritório do marido e mandou chamar Adi.

"Ela não se encontra", a secretária respondeu.

"Ela já não trabalha com vocês?", perguntou à secretária.

"É óbvio que trabalha conosco. Menos às quartas-feiras", acrescentou.

"Qual é o endereço dela, por favor?", ela perguntou, gentilmente. "Falo da companhia de táxis Aviv e precisamos levar uma encomenda à casa dela."

A gentil secretária lhe forneceu o endereço e ela foi até lá com os nervos à flor da pele, por causa do exame de audição de Ana.

Tocou a campainha e uma jovem gordinha abriu a porta. Ela se surpreendeu quando viu a baixinha que havia destruído seu casamento.

"Adi?", ela perguntou.

"Adi", a baixinha gritou, "alguém está perguntando por você".

Adi saiu do quarto e se aproximou de onde estava a sua companheira de apartamento, que permanecia parada junto à porta aberta.

Ela colocou a perna entre o umbral e a porta. Adi se aproximou da porta e parou ao lado da baixinha. Era mais alta do que ela e parecia ser muito forte.

"Você é Adi?", ela perguntou, com a perna impedindo a possibilidade de que lhe batessem a porta na cara.

"Sim", respondeu.

"É você que anda trepando com as pessoas com quem trabalha?", ela perguntou. Obviamente, ela não quis dar a Adi a oportunidade de dizer que havia amor e, antes que a outra respondesse, deu-lhe duas bofetadas com toda a força que tinha. Uma com a mão direita na face direita e, logo em seguida, outra com a mão esquerda na face esquerda.

Adi tentou fechar a porta, percebendo de imediato quem era ela, pois ninguém se dá ao trabalho de se apresentar quando vai bater em alguém com toda a raiva acumulada durante seis meses. Ela abriu a porta completamente e foi lhe dando um tapa depois do outro.

"Hadáss", Adi gritou, e a baixinha tentou bater nela pela direita.

"Não toque em mim", ela falou para a companheira gordinha. "Não tenho nada contra você", disse, e continuou a bater em Adi com toda a força que tinha, enquanto empurrava Hadáss mais para a direita para que não atrapalhasse.

Hadáss continuou a socá-la com os pequenos punhos e Adi, que havia superado o espanto, devolveu-lhe alguns tapas bem-sucedidos até demais, direto no rosto dela, e até conseguiu lhe arranhar o ombro quando ela havia se virado para afastar Hadáss, que continuava a atacá-la. Quando viu que a baixinha estava lutando com tanta dedicação pela amiga filha-da-puta, ela ficou mais furiosa ainda. Como se atrevia a atrapalhar na tarefa que havia ido cumprir? Segurou a baixinha pelos ombros e a empurrou para o fundo do corredor, com uma força que jamais havia imaginado possuir.

"Não se mexa daí, senão eu mato você!", ela disse, e a gordinha se enfiou no fundo do corredor e não apareceu mais. E, então, ficou livre para tratar de Adi.

Ela bateu em Adi como havia aprendido a bater quando era uma menina pequena em Wadi Salib. A irmã dela, apesar de ser maior, quando se sentia ameaçada por algum menino, dizia que ia chamar a irmã menor e logo, logo paravam de incomodá-la.

Adi, obviamente, reagiu e bateu de volta, mas quem pode superar uma mulher ardendo de ódio, uma mãe a quem ainda agora haviam dito que a filha é deficiente auditiva?

As duas se bateram com todas as forças. Ela percebeu que aquela mulher amava de verdade seu marido e que devolvia seus golpes com tanta fúria porque queria lutar por ele.

Quando decidiu que já havia apanhado demais, pegou Adi com toda a sua estatura e a derrubou no chão, deu-lhe alguns chutes na barriga e nas pernas, em meio a xingamentos como "sharmuta", sua vadia, e todas as palavras necessárias para lembrar a Adi quem ela era, e voltou para casa, para junto de sua filha deficiente auditiva.

No dia seguinte de manhã telefonaram para ela da polícia. Disseram que haviam recebido uma denúncia de agressão e que ela deveria comparecer à delegacia.

Ao chegar à delegacia, conduziram-na ao oficial para interrogatório, que lhe informou que estava sendo interrogada sob advertência. Ela não sabia o que isso significava, mas quando ele detalhou para ela o laudo da acusação e mais o laudo do hospital em que Adi havia sido atendida, prestou atenção a cada palavra e assentia com a cabeça. Quando o oficial terminou, ela disse que tudo estava correto, fora o que não constava ali.

"E o que não está constando?", o oficial ficou interessado.

"Não consta que ela é a amante do meu marido e que fui até a sua casa para conversar. Para dizer a ela em que estado se encontra a minha vida com uma menina doente que também perdeu a audição. No final das contas, eu estava no meu direito de conversar com ela racionalmente para pedir que largasse o seu trabalho, que é junto ao do meu marido, e que não destruísse a minha família." Obviamente, ela não havia sido muito precisa nos fatos que relatou ao policial.

"E o que aconteceu?", ele ficou um pouco mais interessado.

"Sabe como é, os ânimos se inflamaram e nisso eu lhe dei um tapa e ela me deu outro, e começamos a nos bater. Isso também acontece com vocês, homens, não é mesmo? O que você teria feito no meu lugar, se a sua mulher tivesse um amante? Não teria ido até ele para lhe falar ao coração?", ela disse, com ingenuidade.

Ele ficou interessado em saber o que havia com a sua filha, e quando ela lhe contou toda a verdade, como elas "se divertiam" no hospital enquanto o marido encontrava consolo nos braços da amante devassa, o oficial se identificou tanto com ela que chegou a sentir ódio de Adi, e no final das contas comentou que não entendia como era possível trair uma mulher como ela.

"E o que você vai fazer com a denúncia?", ela perguntou ao oficial, que a essa altura já se sentia completamente identificado com ela.

Ele foi amassando os papéis até formar uma pequena bola e a lançou em direção à lixeira que ficava a uma certa distância.

Cesta! A bola de papel entrou direto na lixeira.

"Ela que não se atreva a mostrar a cara na delegacia", o oficial disse. "Vou jogá-la escada abaixo, aquela vadia", acrescentou.

À noite, o marido telefonou.

"Sabe que é por causa dessas coisas que eu não amo mais você", ele disse.

"Que coisas?", ela perguntou.

"Por causa da sua falta de cultura", ele disse, e parecia especialmente agitado. "Pelo visto, nunca a educaram como era preciso."

"Pelo visto, não. Você quer que nos divorciemos?", ela perguntou.

"Sim", ele respondeu.

"Eu também", ela disse.

"Vamos passear", ela disse a Ana e pegou-a pela mão. Elas ficaram no quebra-mar olhando as ondas batendo nas pedras. O mar estava especialmente agitado. Ela retirou a aliança de casamento, jogou-a na água e disse a Ana que estava devolvendo o seu dote a Deus.

Ana perguntou o que significava dote.

"É um peso que você arrasta desde a infância", ela explicou à filha de quatro anos e meio.

Quando voltaram para casa, ela ouviu o telefone tocando insistentemente e ficou com medo que, quem quer que fosse, desistisse antes que ela abrisse a porta.

O telefone continuou tocando e ela pegou o fone.

"Alô", ela disse.

"É Rina, que na Bíblia significa alegria e em ladino significa rainha?", alguém perguntou na linha telefônica.

"Olá, Shmuel", ela respondeu. "Como vai?"

"Muito bem. Minha esposa teve um menino e eu queria convidá-la para a festa da circuncisão."

"Obrigada, profeta Samuel. Em boa hora! Irei com muita alegria. Onde será a festa?"

"Em casa. No nosso jardim", Shmuel respondeu.

Este livro foi composto na tipologia Eidetic Neo Regular, em corpo 11/15, e impresso em papel off-white 80g/m² no Sistema Cameron da Divisão Gráfica da Distribuidora Record.